CONTENTS

KB017960

검정고시 만점 전략

1. 개정 교육과정의 특징

① 양적인 증가 : 이전 교육과정보다 단원수 증가(5단원 → 9단원)
② 새로운 영역의 등장 : 지리 부분, 자본주의 부분, 정의 부분, 평화 부분 등
③ 난이도의 상향 : 전 교육과정과 대체로 유사한 난이도, 일부 단원 난이도 상향됨
④ 융합적 사고 방식의 강조 : 개정교육과정의 융합형 인재양성을 위해 융합적 사고를 요구
⑤ 정치, 경제, 사회, 문화 전 분야를 골고루 다루고 있음

2. 개정 교육과정 학습법

① 사회는 반복학습이 매우 중요·아는 것도 반드시 반복! 반복! 반복!
② 예습도 좋지만 복습이 더 효과적, 단 복습시간은 10분 이내로 짧고 간결하게
③ 동영상 강의와 함께 하면 더 효과적
④ 교재는 평소에는 꼼꼼한 정독을, 시험을 앞두고는 빠르게 읽어 나가는 속독을 추천
⑤ 제목에 그 단원의 주제가 담겨 있으니 제목을 생각하면서 학습하면 효과적
⑥ 그림, 사진, 그래프 문제가 대체로 4~5문제 이상 출제되니 교재 속 그림을 꼼꼼히 확인

검정고시 입시 고수들의
만점 전략 수험서

검고수

사회

만점전략서

최신 개정판

고등학교 졸업자격 검정고시

한양학원 수험서 편집부 저

도서출판 국자감
www.kukjagam.co.kr

01. 인간, 사회, 환경과 행복

01 인간, 사회, 환경과 행복

01. 인간, 사회, 환경을 바라보는 시각

(1) 인간, 사회, 환경의 탐구

1) **인간, 사회, 환경의 탐구 필요성** : 인간은 사회환경과 상호작용하면서 서로 영향을 주는 존재이기 때문에

2) **인간, 사회, 환경의 탐구 방법** : 시간적 관점, 공간적 관점, 사회적 관점, 윤리적 관점 등 다양한 관점에서 탐구

(2) 인간, 사회, 환경을 바라보는 여러 가지 관점

1) 시간적 관점

① 의미와 특징 : 과거로부터 변화해 온 자취를 통해 시대적 배경과 맥락에 초점을 두고 바라보는 것으로 앞으로의 예측과 해결 방안을 찾는 데 도움이 될 수 있음

② 사례 : 과거 효사상과 풍수사상으로 매장을 했으나 최근 화장이 확대되면서 화장장 건설이 사회적 쟁점화 되고 있음

2) 공간적 관점

① 의미와 특징 : 현상들을 위치와 장소, 분포양상과 형성과정, 이동과 네트워크 등의 공간적 맥락에서 살피는 것으로 지역 간 차이를 비교하고 사회 현상에 대한 환경의 영향을 파악하는 데 도움이 되고 지역네트워크 형성과 변화를 살펴보는 데 유용함

② 사례 : 화장장 건설의 최적조건과 건설 후 지역사회에 미칠 영향을 분석

3) 사회적 관점

① 의미와 특징 : 특정 사회현상에 대한 사회제도, 사회정책, 사회구조의 영향력을 분석하고 이해하는 것으로 분석을 통해 개인의 행위를 이해할 수 있고 사회 현상이 발생한 원인이나 배경을 이해할 수 있고 정책적 대안을 마련하는 데 도움

② 사례 : 화장장 건설에 따른 문제를 해결하기 위해 법과 제도를 정비해야 함

4) **윤리적 관점**

① 의미와 특징 : 양심과 규범적 차원에서 사회문제를 살펴보고 바람직한 사회를 실현하기 위한 방안을 살펴보는 것으로 변화하는 사회에서 어떻게 하면 바람직하고 행복한 삶을 살아갈 수 있을까를 성찰하고 사회 문제의 바람직한 해결책을 모색하는 데 도움

② 사례 : 화장장 건설로 인해 피해를 본 주민들에게 적절한 보상을 해주고 주민들은 공익도 고려해야 함

(3) 통합적 관점

1) **의미** : 사회현상을 시간적, 공간적, 사회적, 윤리적 관점을 모두 고려하여 통합적으로 살피는 것으로 균형 있는 관점으로 종합적으로 이해해야 사회현상을 제대로 파악할 수 있음

2) **효과** : 사회현상에 대한 균형 있는 관점을 가짐, 다각적인 사회문제 해결방안 모색, 인간과 사회에 대한 통찰력 향상

3) **방법**

시간적 , 공간적 탐구 주제를 선정함	→	자료를 수집하고 탐구	→	탐구 내용을 종합하여 현상을 파악

02. 행복의 기준과 행복의 진정한 의미

(1) 행복의 의미와 다양성

1) **행복의 의미** : 만족감과 기쁨을 느끼는 상태

2) **행복의 다양성** : 행복의 기준은 시대와 장소에 따라 다양

3) **행복의 사례** : 목표달성의 성취감, 화목한 가정, 봉사하면서 느끼는 보람 등

(2) 동서양의 행복

1) **동양에서의 행복**

유교	하늘에서 받은 도덕적 본성을 함양하고 인(仁)을 실현하는 것
불교	불성을 바탕으로 수행과 중생구제를 위한 노력을 통해 해탈의 경지에 이르는 것
도교	타고난 본성에 따라 인위적이지 않은 자연 그대로의 모습으로 살아가는 것

2) 서양에서의 행복

아리스토텔레스	인생의 궁극적인 목표는 행복(이성에 기반한 행복)
에피쿠로스 학파	고통 없는 육체, 불안 없는 마음, 평온한 삶이 행복
스토아 학파	이성적 통찰에 근거한 금욕하는 삶(욕망에 흔들리지 않는 삶)
칸트	자신의 상황에 만족하는 것이 행복(도덕적인 사람이 행복할 자격)
벤담(공리주의)	행복 = 쾌락(삶의 목적), '최대다수의 최대행복'

(3) 행복의 기준

1) 시대 상황에 따른 행복의 기준

① 선사 시대 : 생존을 위한 의식주의 확보가 행복의 기준

② 고대 그리스 시대 : 철학적 · 지적 활동을 통해 얻는 지혜와 덕의 결과물이 행복의 기준

③ 헬레니즘 시대 : 전쟁과 사회 혼란에서 벗어나는 것이 행복의 기준

④ 서양 중세 시대 : 종교적으로 신과 하나가 되어 신에게 구원을 얻는 것이 행복의 기준

⑤ 산업화 시대 : 물질적인 풍요가 행복의 기준

⑥ 현대 : 개인이 느끼는 주관적인 만족감이 행복의 기준

2) 지역 여건에 따른 행복의 기준

① 자연환경 : 기후나 지형에 따라 얻을 수 있는 것에 행복을 느끼거나 반대로 환경적인 결핍을 채우면서 행복을 느낌

예 사막에서 오아시스를 발견하는 것이 행복

② 인문환경 : 종교, 문화, 산업 등 인문환경에 따라 행복의 기준이 달라짐

예 빈곤에서 벗어나거나 종교 간의 갈등이 해결되는 것이 행복

(4) 삶의 목적과 행복

1) 삶의 목적으로서의 행복

① 성공, 재물이나 명예 → 행복해지기 위한 수단에 불과

② 진정한 행복의 성격 : 일시적, 감각적, 단기적인 것이 아니라 목적적이고 본질적인 것

③ 결국 사람들이 궁극적으로 추구하는 삶의 목적은 행복

2) 내 삶에서 행복의 의미

① 물질적, 정신적 가치의 조화로운 추구

② 행복은 자기 삶에 만족할 때 가질 수 있음 → 안분지족

③ 의미 있는 목표의 설정과 추구 → 자아실현

④ 개인의 주관적 만족감과 사회 구성원들의 사회적 여건을 함께 고려

⑤ 다양한 행복의 기준을 인정하고, 행복의 의미를 능동적으로 성찰하는 자세가 필요

03. 행복한 삶을 실현하기 위한 조건

(1) 질 높은 정주 환경의 조성

1) **정주 환경의 의미** : 정착해 살고 있는 지역의 생존환경을 말함, 일상생활의 전 영역

2) **질 높은 정주 환경** : 안락한 주거환경, 위생시설, 교육시설과 의료시설 등이 충분하고 정치적으로 안정된 곳

3) **질 높은 정주 환경의 필요성** : 질 높은 정주 환경은 인간의 정서적 유대감에 영향을 줌, 그 곳에서 살아가는 사람들이 역사를 담고 있어 인간의 행복과 긴밀한 관련을 맺음

4) 질 높은 정주 환경을 만들기 위한 노력

① 주거환경의 개선 : 적극적인 주택개발정책, 대중교통의 확충 등

② 교육과 의료시설의 확충

③ 삶의 질 개선 : 문화, 예술, 체육, 복지 시설의 마련

④ 생태 환경의 조성 : 도심 내 녹지공간의 확대

(2) 경제적 안정

1) **필요성** : 경제적 안정 → 생계유지, 필요충족, 건강관리, 안락한 생활 가능

2) **경제적 안정의 내용** : 고용안정(최저임금, 일자리창출), 복지확충, 경제적 불평등 해소(상대적 박탈감 감소)

(3) 민주주의 발전

1) 민주주의 발전의 필요성 : 독재나 권위주의 정치 체제에서는 인권 보장이 어렵고, 그에 따라 삶의 만족감이나 행복을 느끼기 어렵기 때문에 민주주의가 필요

2) 민주주의 실현을 위한 구체적인 노력

① 민주적 제도의 마련 : 독재방지와 국민의 기본권 보장을 위해 권력분립제도, 복수정당제, 선거제도 등의 민주적인 절차 마련

② 참여형 정치문화 확산 : 주체로서 공동체의 문제를 해결해 나가는 경험 → 지방자치제도의 활성화, 인터넷 청원 등

③ 정치참여의 다양한 방법 : 선거 등에 적극적 참여, 공직자를 선출, 집회나 시위, 언론투고, 행정기관에의 진정 · 건의 · 청원, 시민단체 · 정당 · 이익집단 등을 통한 집단적 사회참여

(4) 도덕적 실천과 성찰하는 삶

1) 도덕적 실천

① 도덕적 성찰 의미 : 행동과 삶을 도덕적 측면에서 반성해 보는 것 → 도덕실천으로 연결

② 도덕적 실천의 필요성

㉠ 실천이 전제되지 않으면 스스로에게 떳떳하지 못하기 때문

㉡ 실천을 통해 개인은 만족감과 행복감을 얻을 수 있기 때문

㉢ 실천 의지는 하루아침에 길러지지 않음, 평소 일상생활에서 노력이 필요

2) 도덕적 실천과 행복 실현과의 관계

① 사회구성원이 도덕적으로 행동하고 성찰하는 삶을 추구하면 개인뿐만 아니라 사회 전체의 행복수준도 함께 올라감

② 사람들이 각자의 행복을 지나치게 추구하다 보면 다른 사람의 행복을 침해할 수도 있는데, 도덕수준이 높은 사회에서는 이러한 문제를 최소화 할 수 있음

③ 개인들의 도덕적 실천이 쌓여 그 사회의 도덕 수준이 올라가면, 사회 구성원 모두가 서로를 존중하고 배려하는 행복한 삶을 누릴 수 있음

1. 다음 〈보기〉의 관점에 해당하는 것은?

〈보기〉

산업혁명이 시작된 이후 화석연료의 사용이 증가했고, 이는 온실효과를 발생시켜 기후변화를 초래하였다.

① 공간적 관점
② 통합적 관점
③ 시간적 관점
④ 사회적 관점

2. 다음 〈보기〉의 관점에 해당하는 것은?

〈보기〉

기후변화를 막기 위해 새롭게 체결된 파리협약은 195개국 모두 온실가스 감축 목표를 지키기로 한 구속력이 있는 협정이다.

① 시간적 관점
② 윤리적 관점
③ 공간적 관점
④ 사회적 관점

3. 다음 〈보기〉의 내용을 극복하기 위한 관점은?

〈보기〉

개별 관점만을 탐구하면 다양한 요인들이 복잡하게 얽혀있는 사회현상의 다양한 측면을 종합적으로 파악하기 어렵다.

① 통합적 관점
② 시간적 관점
③ 부분적 관점
④ 사회적 관점

4. 다음 질문과 응답에서 우리가 주목해야 하는 관점은?

A : 커피는 주로 어디에서 재배되어 어디로 이동하게 되나요?
B : 커피는 열대작물로 주로 저위도 지역에서 재배됩니다. 아프리카와 남미, 동남아 지역에서 생산되어 소득수준이 높은 선진국으로 이동합니다.

① 윤리적 관점 ② 공간적 관점
③ 시간적 관점 ④ 통합적 관점

5. 다음 〈보기〉의 기사를 보고 우리가 접근해야 하는 관점은?

〈보기〉

A : 아직도 지구촌 곳곳에서는 아동노동력을 착취해서 생산하는 물건들이 많이 있어.
B : 정말? 난 이미 그런 것들은 다 사라진 줄 알았는데.... 어린이들의 인권을 지켜 줘야하는 어른으로서 부끄럽다.

① 윤리적 관점 ② 시간적 관점
③ 공간적 관점 ④ 사회적 관점

6. 다음 글에서 제시하고자 하는 관점은?

속담에 "장님 코끼리 만지기"라는 것이 있다. 이 속담의 뜻은 부분만을 보고서 전체를 봤다고 착각하는 경우를 빗대어 이르는 뜻이다. 이런 잘못을 하지 않기 위해서는 전체를 볼 수 있는 관점을 가져야 한다.

① 시간적 관점 ② 공간적 관점
③ 사회적 관점 ④ 통합적 관점

7. 다음 글의 주제로 알맞은 것은?

> 건조 지역에서는 식수의 확보가, 빈곤한 지역에서는 최소한의 의식주와 일자리가, 중세시대에서는 신과 하나가 되는 것이 행복의 기준이었다.

① 행복은 경제적인 안정이 가장 중요하다.
② 행복의 기준은 시대와 상황에 따라 다양하다.
③ 행복은 종교적인 믿음에서 비롯된다.
④ 행복은 의식주의 확보에서만 가능하다.

8. (　　) 안에 들어갈 알맞은 말은?

> 유교에서는 하늘에서 부여받은 도덕적 본성을 보존하고 함양하면서 다른 사람과 더불어 살아가는 (　　　　)을 실천하는 삶을 강조했다.

① 인(仁)　　② 해탈
③ 평정심　　④ 무위자연

9. 다음 〈보기〉의 (　　) 안에 알맞은 말은?

〈보기〉

> 고대 그리스에서는 삶의 궁극적인 목적을 (　　　　　)이라고 보았다.

① 경제적 부(富)　　② 도덕
③ 행복　　④ 본성

10. 다음 사상 또는 학파의 주장을 <u>잘못</u> 연결한 것은?

① 유교 : 도덕적 본성을 보존하고 함양
② 불교 : 중생을 구제하는 실천을 통한 해탈
③ 스토아학파 : 감정에 흔들리지 않는 태도
④ 서양 중세시대 : 쾌락이 바로 행복

11. 진정한 행복의 조건에 해당하는 것을 모두 고른 것은?

㉠ 일시적	㉡ 지속적
㉢ 정신적	㉣ 감각적

① ㉠, ㉡ ② ㉡, ㉢
③ ㉢, ㉣ ④ ㉠, ㉡, ㉢, ㉣

12. 삶의 목적으로서 행복을 추구할 때 고려할 점으로 <u>잘못된</u> 것은?

① 물질적 가치는 고려하지 않는다.
② 의미 있는 목표를 설정해야 한다.
③ 개인적 측면과 사회적 측면을 함께 고려해야 한다.
④ 정신적 가치를 추구해야 한다.

13. 다음 〈보기〉에서 전체적으로 말하고자 하는 행복의 조건은?

〈보기〉

사람이 살 터로는 첫째로 지리(풍수지리)가 좋아야 하고, 둘째는 생리(풍부한 산물)가 좋아야 하며, 셋째는 인심(이웃 간 정)이 좋아야 하며, 넷째로 산수(경치)가 좋아야 한다. – 이중환, 「택리지」–

① 경제적인 안정 ② 질 높은 정주환경
③ 민주주의의 실현 ④ 도덕적 실천

14. 다음 〈보기〉에서 맹자가 강조하는 행복의 조건은?

〈보기〉

일반 백성은 항산(恒産 : 일정한 생업, 직업)이 있어야 항심(恒心 : 도덕적인 마음)이 있을 수 있다. – 맹자 –

① 질 높은 정주환경 ② 도덕적 실천
③ 민주주의의 실현 ④ 경제적 안정

15. 민주주의 실현을 통한 행복한 삶을 실현하는 구체적인 방법이 <u>아닌</u> 것은?

① 시민단체를 통한 정치참여
② 헌법에 명시된 권력분립제도
③ 최저 임금의 보장
④ 공정한 선거를 통한 대표 선출

16. 다음 중 도덕적 성찰하는 삶으로 보기 <u>어려운</u> 것은?

① 매일같이 덕목점검표를 만들어 하루를 반성한다.
② 명상과 참선을 통해 지금까지의 삶을 되돌아본다.
③ 미래지향적인 삶을 위해 목표만을 보고 움직인다.
④ 일기를 쓰며 하루를 천천히 되돌아본다.

17. 다음 자료를 통해 알 수 있는 것은?

	노르웨이	아이슬란드	덴마크	스위스
민주주의 지수 순위	1위	2위	5위	6위
세계 행복 지수 순위	4위	3위	1위	2위

① 분배의 정의가 중요하다.
② 도덕보다 경제적 풍요가 더 중요하다.
③ 국민이 주인이라는 개념이 확실한 나라일수록 행복지수가 높다.
④ 정주환경이 행복의 핵심이다.

18. 다음 주장에서 말하는 바는?

> 가장 좋은 삶은 물처럼 사는 것이다. 물은 남을 이롭게 하면서도 다투지 않고 여러 사람이 싫어하는 낮은 곳으로 기꺼이 가기 때문이다. － 노자 －

① 자연적인 것을 따르면서 단순하고 소박한 삶이 행복이다.
② 도덕적 본성에 따른 삶이 행복한 삶이다.
③ 이성이 기능을 잘 발휘하는 것이 행복이다.
④ 중생구제와 해탈에 이르는 것이 행복이다.

19. 다음 〈보기〉에 제시된 말을 주장한 사람(또는 학파)을 바르게 찾은 것은?

〈보기〉

㉠ 행복은 최고의 선이며 삶의 궁극적 목적이고 이성의 기능을 발휘할 때 실현된다.
㉡ 행복은 육체와 정신에 고통이 없는 평온한 삶

① ㉠ 벤담과 밀
② ㉠ 스토아 학파
③ ㉡ 아리스토텔레스
④ ㉡ 에피쿠로스 학파

20. 다음 〈보기〉의 주장을 한 사상가는?

〈보기〉

· 인간으로서 지켜야 할 도덕 법칙을 실천하는 사람은 행복을 누릴 자격이 있다.
· 자신의 복지와 처지에 대해 만족하는 것이 행복이다.

① 칸트
② 베이컨
③ 벤담
④ 이중환

02. 자연환경과 인간

02 자연환경과 인간

01. 자연환경과 인간 생활

(1) 자연환경이 인간 생활에 끼치는 영향

1) 기온에 따른 생활양식의 차이

① 열대기후 : 얇고 헐렁한 옷(통풍, 땀), 향신료와 볶음요리(음식 변질 방지), 개방적인 가옥구조와 고상가옥(더위, 지열, 해충, 습기방지)

② 온대, 냉대기후 : 4계절 뚜렷, 더위와 추위에 대비하는 의식주 문화

③ 한대기후 : 가죽옷과 털옷(추위 방지), 날고기 음식(농사 안됨), 폐쇄적 가옥구조(추위 방지)

④ 최근의 변화 : 기술발달로 지역 간 의식주 격차 감소

2) 강수량에 따른 전통 가옥의 차이

① 열대우림 : 스콜(소나기) 때문에 빗물이 잘 흘러내리도록 지붕의 경사를 급하게 만듦

② 건조기후

㉠ 사막 : 평평한 지붕, 흙집과 돌집, 폐쇄적 구조(햇빛과 모래바람 차단), 좁은 골목(그늘 마련)

㉡ 스텝 : 이동하기에 편리하도록 천막집(게르)을 지음

③ 지중해 연안 : 여름의 고온 건조한 기후 → 햇빛 반사를 위해 하얀 벽, 푸른 지붕

④ 최근의 변화 : 건축기술의 발달과 건축 재료의 발달로 지역차이가 감소 추세

3) 지형에 따른 생활양식의 차이

① 산지 : 해발고도가 높고 경사가 급해 거주에 불리 → 밭농사, 가축 사육, 관광 발달

② 평야 : 농업, 교통에 유리 → 주로 벼농사나 밀 농사, 교통의 요지에는 도시 성장

③ 해안 : 편리한 교통으로 거주에 유리 → 농업, 어업 발달, 항구도시

④ 독특한 경관 : 화산 · 카르스트 · 빙하지형 등 → 세계적인 관광지(하롱베이, 마테호른 등)

(2) 안전하고 쾌적하게 살아갈 시민의 권리

1) 자연재해의 의미와 유형

① 의미 : 기후, 지형 등이 인간의 안전한 생활을 위협하면서 피해를 주는 현상

② 자연재해의 유형

㉠ 기상재해 : 홍수, 태풍, 강풍, 폭설, 가뭄 등

㉡ 지형재해 : 화산, 지진, 지진해일(쓰나미) 등

③ 자연재해에 따른 피해와 대책

㉠ 피해 : 인명피해, 산업과 경제 피해, 기반시설 피해

㉡ 대책 : 사전예측, 방어시설 구축, 신속한 대피, 복구 대책 수립

④ 안전하기 위한 노력

㉠ 개인 : 재난 대응 훈련 적극 참여, 피해회복을 위해 함께 노력

㉡ 국가 : 개인의 안전을 위해 노력할 의무, 재해 예방을 비롯해 복구와 지원에 대한 정책 수립(스마트 재난관리 시스템 구축, 재해발생 시 즉각적인 복구와 피해보상 지원)

02. 인간과 자연의 관계

(1) 인간중심주의 자연관

1) 의미 : 인간의 가치를 가장 중시, 인간의 이익을 먼저 고려

2) 특징

① 이분법적 관점(자연과 인간을 분리, 인간 〉 자연)

② 자연의 도구적 가치 강조(자연은 인간의 풍요로운 삶을 위한 도구)

3) 사상가

① 아리스토텔레스 : "식물은 동물을 위해, 동물은 인간의 생존을 위해 존재"

② 베이컨 : "자연을 사냥해서 노예로 만들어 인간에 봉사하도록 해야 한다."

③ 칸트 : "동물에 대한 우리의 의무는 인간성 실현을 위한 간접적인 의무임"

4) 장 · 단점

① 장점 : 과학기술의 발전과 경제 성장에 도움

② 단점 : 자원고갈, 환경오염, 생태계 파괴 등

(2) 생태중심주의 자연관

1) 의미 : 자연 그 자체의 가치를 인정, 자연 전체를 도덕적 고려 대상으로 여기는 관점

2) 특징

① 전일론적 관점(자연과 인간은 하나의 생명공동체)

② 자연의 내재적 가치 강조(인간의 이익과는 상관없이 자연의 가치를 존중)

3) 장 · 단점

① 장점 : 인간과 자연의 공존을 모색, 환경문제 해결에 도움

② 단점 : 생태계 전체의 이익을 중시하기 때문에 '환경 파시즘'이 나타남

(3) 인간과 자연의 바람직한 관계

1) 인간과 자연의 유기적 관계 : 인간도 생태계의 일부로 자연환경과 유기적 관계를 맺으며 공존

2) 인간과 자연의 공존을 위한 노력

① 현세대 + 미래세대 + 생태계 전체 보전을 고려

② 환경 친화적 가치관 함양

③ 자연과 인간의 공생을 중시, 자연과 조화를 이루는 개발

예 생태도시, 슬로시티, 생태통로, 자연 휴식년제, 환경 영향 평가제 등

> 동양의 자연관
>
> ① 유교 : 천인합일(天人合一) - 인간과 하늘은 하나
>
> ② 불교 : 연기설(緣起說) - 인간과 자연은 하나로 연결
>
> ③ 도교 : 무위자연(無爲自然) - 인위적인 것을 거부하고 자연의 순리대로 살자

03. 환경 문제 해결을 위한 노력

(1) 환경 문제의 발생, 특징, 유형

1) 환경 문제의 원인과 특징

① 환경 문제의 발생 원인 : 인구 증가, 산업화 → 자원 소비 증가 → 무분별한 자원 개발 → 생태계 파괴 및 자정 능력 상실 → 환경 문제의 발생

② 특징 : 복구하는 데 많은 시간과 비용 필요, 전 지구적 차원의 환경 문제

2) 환경 문제의 종류와 대책

환경 문제 종류	원인	피해	대책
지구온난화	화석에너지사용으로 인한 온실가스 증가	빙하해빙으로 해수면 상승과 침수, 이상기후 등	교토의정서, 파리협정
사막화	가뭄, 과도한 경작과 방목, 열대림파괴	토양황폐화, 식량부족 등	사막화 방지 협약
산성비	황 · 질소산화물의 배출	산림고사, 토양산성화, 건축물부식 등	제네바 협약
오존층파괴	프레온 가스(염화 불화탄소, 스프레이, 냉장고에 주로 사용)	피부암, 백내장	몬트리얼 의정서
열대림파괴	화전, 벌목, 개간	지구온난화, 생태계파괴와 다양성 감소	

* 기타 국제 환경 협약 : 바젤협약(폐기물의 국가 간 이동규제), 람사르 협약(습지와 갯벌의 보호)

(2) 환경 문제 해결을 위한 노력

1) **정부** : 국제 사회와 공조, 환경에 대한 법률적 · 제도적 정비, 소비자에게 친환경 제품 정보 제공, 친환경 산업 육성

2) **시민사회** : 비정부 기구(NGO)의 조직, 오염 행위 감시, 여론형성, 기업 · 정부에 압력 행사, 환경 운동 전개

3) **기업** : 정화 시설 설치, 저탄소 상품 개발, 에너지 고효율 제품 생산, 신재생에너지 개발 및 투자 확대, 유통 과정 간소화, 친환경 상품 공급, 과대 포장 지양, 재활용을 통한 제품 생산 등

4) **개인** : 자원 절약(재사용과 재활용의 생활화), 에너지 절약, 환경 친화적 상품 소비(녹색소비), 환경 관련 법 준수

1. 적도를 기준으로 저위도에서 고위도로 가면서 나타나는 기후의 순서로 바른 것은?

① 열대 – 한대 – 냉대 – 온대 – 건조
② 열대 – 건조 – 온대 – 냉대 – 한대
③ 온대 – 건조 – 냉대 – 열대 – 한대
④ 한대 – 열대 – 건조 – 온대 – 냉대

2. 열대 기후 지역 가옥구조의 특징으로 옳은 것은?

① 해빙기를 대비해 기둥 위에 고상가옥으로 지었다.
② 급경사 지붕은 스콜과 같은 집중호우에 대비한 것이다.
③ 좁은 골목은 그늘을 만들기 위한 것이다.
④ 더위 때문에 게르라는 이동식 천막집을 만들었다.

3. 사막지역의 생활로 <u>잘못</u> 설명한 것은?

① 더위 때문에 간편한 반바지와 같은 의생활이 나타나고 있다.
② 오아시스 지역에서 간단한 농업이 이루어진다.
③ 강에서 물을 끌어와 관개농업이 이루어지기도 한다.
④ 사막지역의 가옥은 흙집이나 돌집이 주를 이룬다.

4. 다음 설명에 해당하는 기후는?

여름철 고온건조, 수목농업, 관광농업 발달

① 온대계절풍
② 지중해성 기후
③ 서안해양성 기후
④ 열대 고산 기후

5. 한대기후에 해당하는 것을 모두 고르면?

㉠ 농사대신 사냥, 어로, 순록유목이 주로 이루어짐
㉡ 음식은 훈제, 냉동, 건조 등의 방법으로 저장
㉢ 동물의 가죽으로 이동식 천막집인 게르를 제작
㉣ 개썰매와 백야축제 등을 볼 수 있다.

① ㉠, ㉡, ㉣
② ㉡, ㉣
③ ㉠, ㉢, ㉣
④ ㉢, ㉣

6. 다음 중 인간 거주에 유리한 지형을 모두 고르면?

㉠ 산지지형	㉡ 평야지형
㉢ 해안지형	㉣ 화산지형

① ㉠, ㉡
② ㉡, ㉢
③ ㉢, ㉣
④ ㉠, ㉣

7. 다음 사진은 베트남의 하롱베이 지역이다. 이런 탑카르스트 지형은 어떤 암석의 용식 작용으로 만들어진 것인가?

① 화강암
② 현무암
③ 편마암
④ 석회암

8. 기상재해에 대한 설명으로 맞지 않는 것은?

① 홍수를 예방하기 위해서 조림사업이 필요하다.
② 가뭄은 발생하기까지 오래 걸리는 편이나 피해면적이 넓은 편이다.
③ 지진 발생으로 인한 피해를 줄이기 위해 내진설계가 필요하다.
④ 우리나라는 주로 여름과 초가을에 열대이동성 저기압의 피해를 보는 편이다.

9. 지진과 화산에 대한 설명으로 맞지 않는 것은?

① 지진과 화산의 발생지역은 일치하지 않는다.
② 환태평양 조산대 지역은 '불의 고리' 라는 별명을 가지고 있다.
③ 지진에 대한 구조물의 내진설계가 필요하다.
④ 화산이 폭발하면 용암과 가스, 화산재로 인한 피해가 크다.

10. 재해로부터 안전하고 쾌적하게 살아가기 위한 국가의 노력에 해당하지 않는 것은?

① 조기경보 체계를 마련한다.
② 체계적으로 재해대비 안전교육을 실시한다.
③ 신속한 복구대책을 세우고 법률과 시설을 정비한다.
④ 재해 시 빠른 회복을 위해 성숙한 시민의식을 갖도록 노력한다.

11. 다음 표현이 나타내는 것은?

· 우리는 자연의 주인이자 소유자가 될 수 있다. 인간은 정신을 소유한 존엄한 존재지만, 자연은 의식 없는 물질이다.
· 자연을 사냥해서 노예로 만들어 인간의 이익에 봉사하도록 해야 한다.

① 자연중심주의　　② 생태중심주의
③ 인간중심주의　　④ 생명중심주의

12. 인간중심주의와 관련이 <u>없는</u> 것은?

① 일원론적 관점
② 이분법적 관점
③ 도구적 자연관
④ 기계론적 자연관

13. 생태중심주의에 대한 설명으로 옳지 <u>않은</u> 것은?

① 인간과 자연의 관계는 상호보완적 관계로 파악한다.
② 인간과 자연을 따로 분리해서 생각한다.
③ 인간은 생태계를 보호해야 하는 의무가 있다.
④ 지나치게 생태계 이익을 중시하면 환경파시즘이 될 수 있다.

14. 만물이 본래적 가치를 지닌다고 보며, 인간과 자연이 조화를 이루는 천인합일의 경지를 지향하는 사상은?

① 불교
② 도교
③ 동학
④ 유교

15. 불교에서 독립적으로 존재할 수 없으며 서로 연결되어 상호의존하고 있다는 것을 무엇이라 하는가?

① 연기
② 인(仁)
③ 상선약수
④ 배산임수

16. 인위적인 것을 거부하고 자연의 순리대로 살아가자는 도교의 가르침은?

① 무위자연
② 상선약수
③ 천인합일
④ 자비

17. 현대사회 환경문제의 특징을 모두 고르면?

ㄱ 피해가 전 지구적인 범위로 확산되고 있다.
ㄴ 가장 책임이 큰 나라만 배상하면 해결된다.
ㄷ 책임소재가 불분명하다.
ㄹ 피해복구 시간이 계속 대폭적으로 줄어들고 있다.

① ㄱ, ㄴ
② ㄴ, ㄷ
③ ㄷ, ㄹ
④ ㄱ, ㄷ

18. 염화 불화 탄소로 인해 발생하는 환경문제에 대한 설명으로 맞는 것은?

① 빙하의 면적이 감소하고 있다.
② 피부암과 백내장이 증가하고 있다.
③ 건축물이 부식되고 호수가 산성화 되고 있다.
④ 황사현상의 직접적 원인이다.

19. 주요 국제 환경 협약을 바르게 연결한 것은?

① 생물 다양성 협약 : 생물 종 보호
② 바젤 협약 : 온실가스 배출량 규제
③ 몬트리얼 의정서 : 갯벌과 습지 보호
④ 람사르 협약 : 프레온 가스 규제

20. 다음 국제 협약들의 공통점은?

기후변화협약(1992), 교토의정서(1997), 파리협약(2015)

① 사막화를 방지하기 위한 노력
② 갯벌과 습지의 훼손을 방지하기 위한 노력
③ 화석연료 사용으로 인한 지구의 평균 기온 상승을 막기 위한 노력
④ 국제적인 폐기물의 이동을 막기 위한 노력

03. 생활공간과 사회

03 생활공간과 사회

01. 산업화와 도시화로 인한 변화

(1) 산업화와 도시화

1) 산업화와 도시화의 정의

① 산업화 : 농업 중심의 사회에서 광공업과 서비스업 중심의 사회로 변화하는 과정

② 도시화 : 도시 거주 인구의 비율이 증가, 도시적 생활양식이 확산되는 현상

2) 우리나라의 산업화와 도시화

① 1960년대 : 1차 산업중심, 도시 거주 인구 〈 촌락 거주 인구

② 1960년대 이후 : 산업화와 도시화 본격 시작, 2차 · 3차 산업 비중 증가, 이촌향도 현상

③ 현재 : 대부분이 도시에 거주, 역도시화 현상(U턴, J턴 현상)

도시화 곡선 ▶

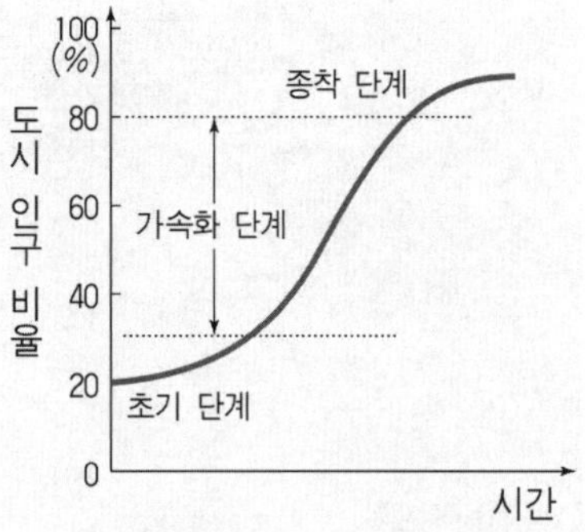

3) 산업화와 도시화로 인한 공간의 변화와 생활양식의 변화

① 공간의 변화 : 고층건물과 아파트의 등장(토지의 집약적 이용), 다양한 공간 이용(토지이용의 다양성 확대), 하천의 인위적인 정비와 개발, 포장면적확대로 녹지면적 감소, 생태계 변화 초래

② 생활양식의 변화 : 도시성의 확산(자유와 다양성 강화, 유대감 약화), 직업분화 촉진, 개인주의적 가치관의 확산

4) 산업화와 도시화로 인한 문제의 발생과 해결방안

① 문제점 : 주택부족 문제와 슬럼화, 교통체증과 주차난, 수질과 토양, 대기오염 심각, 열섬현상 발생, 실업문제, 노사갈등문제, 이기주의로 인한 소통부족, 물질만능주의 확산 등

② 해결방안

㉠ 사회적 차원 : 주택 공급 확대, 도시재개발사업 실시, 교통체계개편, 대중교통확대, 거주자우선주차제도실시, 공영주차장확대, 실업관련 복지제도 확충, 최저임금제, 비정규직 보호법제정 등

㉡ 개인적 차원 : 환경 친화적인 사고방식확립, 대중교통이용, 자원재활용 참여, 공동체의식(연대의식)함양, 인간의 존엄성 중시, 타인존중 등

02. 교통 통신의 발달과 정보화

(1) 교통, 통신의 발달에 따른 변화

이동시간과 비용의 감소, 대도시권의 형성, 의사소통 확산, 빠른 화물수송, 국제금융거래 활성화로 경제활동범위의 확대, 다국적 기업의 등장, 해외여행의 증가, 생태환경에 도움(GPS를 이용한 멸종위기동물보호, 헬기를 이용한 산불진압 등)

(2) 교통, 통신의 발달에 따른 문제점과 해결 방안

1) 지역 격차의 발생

· 해결방안 : 새로운 교통 기반 시설의 구축, 경제가 위축된 지역의 경제 활성화를 위한 지방 중추 도시권 육성 사업의 실시 등

2) 생태 환경의 파괴

· 해결방안 : 도로 건설시 우회 도로나 생태 통로 만듦, 생태 환경 보존을 위한 제도적 방안 마련, 선박 평형수 처리 장치의 설치 의무화 등

(3) 정보화에 따른 생활양식의 변화

1) 정보화의 실현

· 컴퓨터, 인터넷, 인공위성 등을 이용한 신속 정확한 정보 수집가능
→ 지리 정보 시스템(GIS), 위치 정보 시스템(GPS) 등을 적극 활용

2) 생활양식의 변화 : SNS나 가상 공간을 통한 의견 표현, 전자 민원서류 업무가능, 전자 상거래활성화, 인터넷 뱅킹, 원격 근무, 화상회의, 원격 진료, 원격 교육, 스마트 기기를 통해 문화의 확산 속도가 빨라짐

(4) 정보화에 따른 문제점과 해결 방안

1) 인터넷 중독

① 문제점 : 대면적 인간관계의 약화
② 대책 : 인터넷 중독 예방 및 치료 프로그램 시행

2) 정보 격차

① 문제점 : 지역간 · 계층 간의 정보 격차 발생 → 양극화 심화
② 대책 : 정보 소외 계층을 위한 사회 복지 제도 확충

3) 사이버 범죄

① 문제점 : 사이버 폭력, 해킹, 프로그램 불법복제, 인터넷사기, 유해 사이트 운영 등의 범죄 발생
② 대책 : 정보 윤리 교육 강화 및 관련 법률 정비

4) 사생활 침해

① 문제점 : 개인 정보 유출, CCTV 등을 통한 감시나 통제 발생
② 대책 : 『개인정보보호법』, 『국가정보화기본법』 등의 법률 정비 및 강화

03. 지역의 공간 변화

(1) 지역과 지역성 및 공간 변화

1) 지역 : 타지역과 구별되는 지표상의 공간 범위, 유사하거나 기능적으로 관련된 장소들의 모임

2) **지역성** : 어떤 지역의 자연환경과 인문환경이 상호 작용하여 형성된 그 지역 안의 고유한 특성. 지역성은 고정된 것이 아니며, 시간에 따라 변화함

3) **지역의 공간 변화** : 산업화, 도시화, 교통, 통신의 발달, 정보화 등의 영향으로 끊임없이 다양하게 공간 변화가 이루어지고 있음

(2) 지역 조사 방법

1) **의미** : 지역에 대해 자료를 수집하고 분석, 종합하여 지역성을 파악하는 활동

2) **과정**

조사 계획	→	조사주제와 지역 선정	→	지리정보의 수집 (실내조사, 야외조사)	→	지리정보의 분석(분석 자료 정리, 도표와 주제도 작성 등)	→	토의	→	조사 보고서 작성

(3) 도시와 촌락에서 발생하는 문제점과 해결 방안

1) 도시에서 발생하는 문제점과 해결 방안

① 대도시

㉠ 문제점 : 인구 과밀화, 시설 부족, 도시 내 노후 공간 증가, 삶의 질 하락

㉡ 해결 방안 : 도시 내 기반 시설 확충, 재개발을 통한 주거 환경 개선 등

② 중소도시

㉠ 문제점 : 일자리, 문화 공간 등의 부족, 대도시로의 인구 유출 등

㉡ 해결 방안 : 지역특성화 사업 추진, 서비스 개선을 통한 자족기능 확충 등

2) 촌락에서 발생하는 문제점과 해결 방안

① 문제점

㉠ 근교 농촌 : 도시화로 전통적 가치관과 문화가 사라짐 → 공동체의식 약화

㉡ 원교 농촌 : 노동력 부족, 성비불균형, 유휴경작지 증가, 인구 유출 증가

② 해결 방안

㉠ 지리적 표시제, 지역 브랜드화, 지역 축제 및 체험관광 추진, 경관 농업, 농공단지 조성 등을 통한 농촌 소득 증대 방안 마련

㉡ 교육, 의료, 문화 시설 확충을 통해 도시와의 생활환경 격차를 줄이고 주민들의 삶의 질을 향상시킴

지리적 표시제

농·수산물 및 그 가공품이 특정 지역에서 생산되었음을 나타내는 표시

예 보성 녹차, 횡성 한우 등

지역 브랜드화

지역 그 자체 또는 지역의 상품을 소비자에게 특별한 브랜드로 인식시키는 것

예 남원시 → 사랑의 도시, 건강한 남원, 성춘향 캐릭터

1. 다음 (　　) 안에 들어갈 말이 순서대로 바르게 나열된 것은?

농업중심 사회가 광공업과 서비스 중심의 사회로 변화하는 현상을 (　　　)라고 하고 한 국가 내에서 도시에 거주하는 인구의 비율이 높아지는 현상, 또는 도시적 삶의 방식이 확대되는 현상을 (　　　)라고 한다.

① 산업화 - 공업화
② 가속화 - 공업화
③ 도시화 - 산업화
④ 산업화 - 도시화

2. 대도시의 인구가 많아지고 그 기능과 영향력이 커지면서 대도시와 주변촌락이 하나의 생활권이 되어 만들어진 것은?

① 대도시권
② 위성도시
③ 신도시
④ 수도권

3. 다음 밑줄 친 부분에 대해 바르게 설명한 것은?

도시지역은 사람은 많고 토지는 제한되어 <u>토지의 집약적 이용</u>이 필요하다.

① 고층화를 의미한다.
② 분산화를 의미한다.
③ 위성도시의 건설을 의미한다.
④ 저층화를 의미한다.

4. 도시화로 인한 환경의 변화에 해당하지 <u>않는</u> 것은?

① 녹지면적의 감소로 인한 생태계의 변화
② 포장면적의 증가로 인해 도시홍수의 감소
③ 많은 인구의 밀집으로 쓰레기처리 문제 증가
④ 도심지역 열섬현상의 등장

5. "인구와 각종 기능이 도시로 과도하게 집중하여 도시기반 시설이 부족하게 되는 현상을 (　　)라고 한다." (　　) 안에 해당하는 말을 잘못 설명한 것은?

① 주택이 부족해지고 불량 주택지역이 형성된다.
② 사람들 간의 이질성(빈부격차 등)이 커지면서 범죄가 증가한다.
③ 교통량의 변화로 교통체증 및 주차난이 감소한다.
④ 생활하수와 생활쓰레기의 증가로 수질과 토양이 오염된다.

6. 생산과정 자동화로 인간을 마치 기계 부속처럼 여기게 되면서 인간이 노동에서 얻는 만족감이 약화되어 발생하는 현상은?

① 분업화 현상
② 인간소외 현상
③ 공동체 의식 약화 현상
④ 지역 간 불균형 현상

7. 열섬현상에 대한 설명으로 맞지 않은 것은?

① 도시내 포장면적의 증가가 원인 중 하나이다.
② 자동차와 공장 등에서 발생하는 인공열이 원인이다.
③ 옥상정원과 도심하천 복원은 열섬현상의 주요 원인이다.
④ 고층건물에 의한 바람길 차단이 원인 중 하나이다.

8. 다음 중 도시문제 해결을 위한 방안으로 보기 어려운 것은?

① 도시 재개발 사업을 실시한다.
② 도심 내 생태하천을 복구한다.
③ 공영주차장을 적극적으로 확대한다.
④ 흩어진 도시 기능을 도심지역으로 집중시킨다.

9. 다음 기사 중 밑줄 친 것을 통해 극복하려고 하는 것은?

> 최근 공동체 주택이 주목받고 있다. 공동체 주택이란 커뮤니티 공간을 중심으로 각자 독립된 생활을 하는 새로운 주거의 형태로 공동체 주택 구성원들은 공동의 규약을 마련하고 생활문제를 공동으로 해결하면서 함께 살아간다. 이들은 인터넷을 통해 만났거나 같은 회사, 동호회, 친구사이 등 다양한 인연으로 연결되어 있다.
>
> - OO일보 -

① 환경오염의 심각성
② 공동체 의식의 부족
③ 지역 간 불균형
④ 노사갈등 문제

10. 다음 〈보기〉의 밑줄 친 부분 중에서 잘못된 것은?

〈보기〉

> 도시거주 사람들은 ㉠촌락과 구별되는 독특한 도시성이라는 것이 있다. 좁은 지역에 많은 인구가 집중되어 있는 ㉡도시에서는 구성원들이 매우 이질적이고 이들 간에는 철저한 계산적인 이해타산으로 연결되어 있다. 산업화를 겪으면서 ㉢서로 다른 특성을 가진 사람들이 도시로 모여 들어 인간관계 양상이 변화한 것이다. 그리고 ㉣개인목표 보다는 집단의 목표를 중시하는 경향이 두드러지게 되었다.

① ㉠ ② ㉡ ③ ㉢ ④ ㉣

11. 교통과 통신의 발달에 따른 변화로 보기 어려운 것은?

① 생활공간의 확대
② 경제활동의 범위가 주변으로 한정됨
③ 국제금융거래가 활성화됨
④ 다양한 문화 체험의 기회 확대

12. 대도시가 주변 중소 도시의 인구나 경제력을 흡수하는 현상은?

① 유출효과
② 역도시화 현상
③ 빨대효과
④ 배출효과

13. 도로나 철도 건설로 인해 생태계가 단절되는 현상을 보완하기 위한 방법으로 바른 것은?

① 스마트 도로를 건설해서 첨단 통행료 징수방법을 도입한다.
② 신도시를 건설한다.
③ 에코브릿지(생태통로)를 설치한다.
④ 다목점 댐을 건설해서 생태계를 연결한다.

14. 다음 통계를 보고 <u>잘못</u> 설명한 것은?

2001년	2005년	2009년	2013년	2015년
3조 3천억	10조 7천억	20조 6천억	38조 5천억	54조 1천억

* 온라인 쇼핑거래액 변화(단위 : 원)

① 쇼핑시간의 제약이 증가할 것으로 예상된다.
② 택배산업이 발전할 가능성이 높다.
③ 점포 없이 영업하는 사업자들이 증가한다.
④ 이동하지 않고 쇼핑하는 소비자들이 증가한다.

15. 표를 보고 바르게 분석한 학생은?

	노년층	농어민	저소득층	장애인
스마트 정보화 수준	56	55	74	62
컴퓨터 기반 정보화 수준	77	72	87	86

* 일반국민을 100점 만점으로 보았을 때의 점수

① 춘향 : 컴퓨터 기반의 정보화 수준은 저소득층이 일반국민보다 수준이 높네.
② 향단 : 장애인들이 노년층보다 정보화 수준이 낮은 편이야.
③ 팔쥐 : 농어민들에게 스마트 기계 보급과 교육이 반드시 필요한 것 같아.
④ 콩쥐 : 노년층, 농어민, 저소득층, 장애인 모두 정보 격차를 경험하고 있지 않아.

16. 교사의 질문에 적절하게 답하지 못한 학생은?

교사 : 정보화에 따라 변화된 생활 양식으로는 무엇이 있을까요?

① 길동 : 직접적인 접촉을 통한 공동체 단합이 증가하고 있어요.
② 꺽정 : 주민센터를 방문하지 않아도 필요한 서류를 발급받을 수 있어요.
③ 허생 : 재택근무가 점차 증가하는 것 같아요.
④ 몽룡 : 인터넷을 통한 정치참여가 가능해지고 있어요.

17. 인터넷 사기와 사이버 저작권 침해, 인터넷 명예훼손 등이 발생하는 근본적인 원인은?

① 동시성
② 익명성
③ 신속성
④ 우발성

18. 지리조사 방법 중 실외조사에 해당하지 않는 것은?

① 통계자료 확인
② 실제 측량
③ 설문 조사
④ 촬영과 관찰

19. 다음 자료를 통해 알 수 있는 내용은?

1980년	내국인 해외관광객 수	33만명
	외국인 해외관광객 수	97만명
2015년	내국인 해외관광객 수	1900만명
	외국인 해외관광객 수	1350만명

① 여가를 즐기는 사람들이 감소하고 있다.
② 국경과 민족의 개념이 더욱 강화되고 있다.
③ 항공교통의 발달과 밀접한 관련이 있는 현상이다.
④ 다른 나라를 이해할 수 있는 기회가 좀처럼 늘고 있지 않다.

20. 다음 사례에서 알 수 있는 것은?

> 지하철 개찰구 앞에 서자 표 대신 얼굴이 인식되며 문이 열립니다. 중국 허난성의 정저우시가 전 지하철 노선에 안면인식 결제 시스템을 본격 가동했습니다. 애플리케이션에 얼굴 정보를 등록한 뒤 은행 계좌와 연동하면 이용할 때마다 자동으로 결제됩니다. 중국 내 안면인식 시스템의 도입은 점점 확대되고 있습니다. 초기에는 교통통제와 범죄자 검거에 활용하는데 그쳤지만, 식당과 병원 등 일상 공간으로 파고들고 있습니다.

① 정보의 격차문제가 점차 심각해지고 있다.
② 국가에 의한 사생활 침해가 발생할 가능성이 높아지고 있다.
③ 지적재산권 침해가 해결될 가능성이 높아지고 있다.
④ 사이버 범죄에 의해 피해를 입을 가능성이 높아지고 있다.

04

04. 인권보장과 헌법

04 인권보장과 헌법

01. 인권의 역사와 확장

(1) 인권의 의미와 인권의 확립 과정

1) **인권의 의미** : 인간의 기본적인 권리로 '인간의 존엄성'에 기반, 인간은 수단이 아니라 목적

2) **인권의 특성** : 보편성(누구나), 천부성(가지고 태어남), 항구성(영원히), 불가침성(침해할 수 없음)

(2) 인권보장의 역사

근대이전	18세기	19세기	20세기 초	2차 세계 대전 이후
대다수 사람들이 자유와 권리를 인정받지 못함 →	영국명예혁명(권리장전), 미국독립혁명(독립선언문), 프랑스혁명(인권선언문), 봉건질서붕괴 →	빈농, 노동자, 여성 등의 참정권 요구(차티스트 운동) →	사회권 등장(독일 바이마르헌법) →	UN의 세계 인권 선언, 연대권의 강조

계몽사상, 사회계약설

- 계몽사상 : 시민혁명에 영향을 준 대표사상, 인간의 합리적 이성을 강조하는 사상
- 사회계약설 : 국가가 개인들의 합의나 계약으로 발생하였다는 이론, 홉스, 로크, 루소가 주장, 시민혁명에 영향을 준 대표적인 사상

시민혁명과 세계인권 선언의 내용

〈미국 독립 선언문〉 (1776)

모든 사람은 평등하게 태어났고, 누구에게도 양도할 수 없는 생명과 자유, 행복을 추구할 천부적인 권리를 (→ 천부인권) 지니고 있다. 정부는 국민의 주권에 의해 만들어지며 (→ 주권재민, 국민주권), 이러한 권리를 보장하는 데 목적이 있다.

〈프랑스 인권 선언〉 (1789)

제1조 사람은 태어날 때부터 자유롭고 또한 권리에 있어서 평등하다. (→ 천부인권)

제3조 모든 주권의 원리는 국민 속에 있다. (→ 주권재민, 국민주권)

제4조 자유란 타인을 해치지 않는 한 무엇이라도 할 수 있다는 것이다.

〈세계 인권 선언〉 (1948)

제1조 모든 인간은 태어날 때부터 자유로우며 (→ 천부인권), 누구에게나 동등한 존엄성과 권리가 있다. 인간은 타고난 이성과 양심을 지니며 형제애의 정신에 입각해서 행동해야 한다.

(3) 현대사회에서의 인권 확장

주거권, 안전권, 환경권, 문화권, 연대권, 잊혀질 권리 등

인권 개념의 확대(바사크의 구분)

제1세대 인권 : 자유와 관련된 개념, 자유권, 선거권, 공정한 재판을 받을 권리 등

제2세대 인권 : 평등과 관련된 개념, 사회권

제3세대 인권 : 박애와 관련된 개념, 환경권, 평화적 생존권, 연대권

02. 인권 보장을 위한 헌법의 역할과 시민 참여

(1) 인권과 헌법

1) 인권과 헌법의 관계

① 인권은 최고법인 헌법을 통해 기본권으로 보장 → 인권은 국가권력보다 우선하는 자연법에 해당

우리 헌법에 규정되어 있는 인간의 존엄성

제10조 : 모든 국민은 인간으로서의 존엄과 가치를 가지며, 행복을 추구할 권리를 가진다. 국가는 개인이 가지는 불가침의 기본적 인권을 확인하고 이를 보장할 의무를 진다.

2) 헌법에 명시된 기본권

① 자유권 : 간섭이나 침해 없이 자유로운 생활을 누릴 수 있는 권리. 포괄적 · 천부적 권리, 가장 오래됨

예 신체의 자유, 종교의 자유, 언론 · 집회 · 결사의 자유, 거주 · 이전의 자유 등

② 평등권 : 법 앞에서 차별받지 않을 권리, 모든 사람을 동등하게 대우하나 선천적, 후천적 차이를 고려

예 "모든 국민은 법 앞에 평등하다." (헌법 11조 1항)

③ 참정권 : 정치에 참여할 수 있는 권리, 정부를 구성하고 선택, 국민주권의 원리 실현

예 선거권, 피선거권, 공무담임권, 국민투표권 등

④ 청구권 : 다른 기본권을 보장하기 위한 기본권, 수단적 성격, '기본권 보장을 위한 기본권'

예 재판청구권, 청원권, 국가 배상 청구권, 형사 보상 청구권 등

⑤ 사회권 : 인간다운 생활을 누릴 권리, 적극적인 기본권. (최초 독일의 바이마르 헌법)

예 근로권, 환경권, 교육권, 사회보장권 등

기본권 제한 관련 헌법조항

헌법 제37조 2항 : 국민의 모든 자유와 권리는 국가안전보장, 질서유지 또는 공공복리를 위하여 필요한 경우에 한하여 법률로써 제한할 수 있으며, 제한하는 경우에도 자유와 권리의 본질적인 내용을 침해할 수 없다.

3) 인권 보장을 위한 제도적 장치

법치주의, 권력분립(입법권, 행정권, 사법권), 헌법재판소, 민주적 선거제도(보통 · 평등 · 직접 · 비밀 선거의 원칙, 선거 공영제, 선거구 법정주의 등), 복수정당제, 적법절차의 원리, 국가인권위원회, 국민권익위원회 등

(2) 준법 의식과 시민 참여

1) 준법 의식 : 사회정의 실현 및 인권 보장을 위해 법을 존중하고 지키려는 의식

2) 시민 참여 : 공동체의 의사 결정에 직 · 간접적으로 시민들이 참여하는 것, 정의로운 사회 실현에 이바지

3) 참여 방법

① 합법적 방법 : 선거, 국민투표, 공청회, 국민 참여 재판, 1인 시위, 이익 집단 활동, 시민단체 활동 등
② 비합법적 방법 : 시민불복종

4) 기능

① 인권 수호 기능
② 대의 민주주의 보완기능

(3) 시민 불복종

1) 의미 : 잘못된 법이나 정책을 바로잡기 위해 양심에 따라 행동하는 위법행위

2) 조건

① 목적의 정당성 : 불복종의 대상인 법이 사회정의에 위배되어야 함
② 최후의 수단 : 합법적인 방법을 통한 해결이 불가능해야 함
③ 처벌의 감수 : 처벌을 피하지 않고 받아들임으로서 법 체계를 존중하고 있음을 분명히 해야 함
④ 비폭력성 : 어떤 경우에도 폭력을 사용해서는 안됨
⑤ 공개성 : 몰래 어기는 것이 아니라 당당하게 드러내고 어김
⑥ 공익성 : 사익에만 도움이 되지 않고 모두에게 도움이 되어야 함

3) 사례

① 미국 '소로'의 멕시코전쟁으로 인한 인두세 거부

② 인도 '간디'의 비폭력 불복종 운동

③ 미국 '킹 목사'의 흑인 인권 운동

④ 남아프리카공화국 '만델라'의 흑인 인권 운동

03. 인권 문제의 양상과 해결 방안

(1) 우리 사회의 인권 문제

1) 사회적 소수자 차별 문제

① 사회적 소수자의 의미 : 신체적 또는 문화적 특징으로 인해 사회의 다른 구성원들에게 차별을 받으며 스스로 차별받는 집단에 속해 있다는 의식을 가진 사람들

② 특징과 유형 : 숫자가 소수인 사람들을 꼭 의미하지는 않음, 소수자는 상대적 개념

예 장애인, 이주노동자, 결혼이주민, 여성, 노인, 아동청소년, 북한이탈주민(새터민), 저소득층, 성소수자 등

③ 소수자 문제 해결 방안

㉠ 개인적 차원 : 소수자에 대한 편견을 버리고 인간의 존엄성 배려

㉡ 사회적 차원 : 사회적 소수자를 차별하는 정책과 법률을 정비

→ 관련 정책과 법률이 실질적인 보호 대책이 되도록 보완

예 장애인 차별 금지법, 외국인 근로자의 고용 등에 관한 법률 등

2) 청소년 노동권 침해

① 침해 원인 : 청소년 노동권에 대한 이해부족, 고용주의 준법의식 결여, 법적 제도의 미흡 등

② 침해 사례 : 최저임금을 보장 받지 못하는 경우, 사고로 다쳤을 때 배상받지 못하는 경우, 장시간의 야간 근무 등

③ 대응 방법 : 표준계약서 작성, 임금체불시 고용노동부에 신고, 적법한 휴게시간 요구, 원치 않는 초과 근무요구 거부 등

청소년 알바 십계명

1계명 - 만 15세 이상 근로가 가능해요.

2계명 - 부모님 동의서와 나이를 알 수 있는 증명서가 필요해요.

3계명 - 근로계약서를 반드시 작성해야 해요.

4계명 - 성인과 동일한 최저임금을 적용 받아요.

5계명 - 하루 7시간 일주일에 40시간을 초과해서 일할 수 없어요.

6계명 - 휴일에 일하거나 초과 근무를 했을 경우 50%의 가산금을 받을 수 있어요.

7계명 - 일주일을 개근하고 15시간 이상 일을 하면 하루의 유급 휴일을 받을 수 있어요.

8계명 - 청소년은 위험한 일이나 유해 업종의 일을 할 수 없어요.

(9계명, 10계명 생략) - 고용노동부 2014년 -

(2) 세계 인권 문제

1) **인종 차별 문제** : 특정 인종에 대한 적대감을 나타내는 것

예 미국의 흑인차별, 나치(히틀러)의 유태인 차별

2) **여성 차별 문제** : 교육, 고용, 승진 등에서 다양한 방법으로 차별

예 사우디 남성 후견인 제도(마흐람 제도), 매매혼 등

3) **아동 노동 문제**

전 세계 1억 3400만 명의 아동노동인구가 존재, 감소추세이나 수많은 아동들이 농장, 광산, 공장 등에서 착취에 시달리고 있음

4) **빈곤 문제**

생존을 위협하고 최소한의 인간다운 삶을 어렵게 하는 심각한 문제

예 가뭄, 기근, 독재, 잦은 내전 등으로 인한 빈곤

5) **기타**

난민, 기아, 인신매매 등 수많은 인권 문제가 발생하고 있음

(3) 인권 문제의 해결 방안

1) 국내 인권 문제 해결을 위한 노력

① 국가 : 법과 제도로서 적극적으로 인권 보장

② 사회 : 인권교육강화, 인권보호캠페인, 인권단체들의 적극적인 활동

③ 개인 : 인권의 소중함을 깨닫고 타인의 인권보호를 위해 노력

2) 세계 인권 문제의 해결 방안

① 세계시민의식 함양 : 국제 사회의 인권문제 해결을 위해 세계 시민 차원에서 노력

② 국제적인 연대 : 국제연합(UN)이나 비정부기구(NGO)의 지원, 국제적인 여론조성, 위반국에 대한 국제법에 근거한 제재 등 국제 사회가 함께 노력

1. 다음 대화에서 B의 말은 인권의 성격 중 무엇에 해당하는가?

> A : 외국인 노동자들은 우리나라에서 세금도 안내고 있으니 차별받아 마땅해.
> B : 무슨 소리야! 외국인 노동자도 사람이야. 사람이라면 누구나 인간의 존엄성을 인정해야 하는 거야.

① 항구성　② 불가침성
③ 보편성　④ 천부성

2. 다음 내용이 의미하는 것으로 가장 적절한 것은?

> 제1조 : 인간은 자유롭게, 그리고 평등한 권리를 가지고 태어난다.
> – 프랑스 인권선언, 1789 –

① 영구성　② 불가침성
③ 안정성　④ 천부성

3. 프랑스 혁명의 사상적 기반이 되었던 사상들을 모두 고른 것은?

> ㉠ 천부인권사상　㉡ 사회계약설
> ㉢ 계몽사상　㉣ 사회주의

① ㉠, ㉡, ㉢　② ㉡, ㉢, ㉣
③ ㉠, ㉢, ㉣　④ ㉠, ㉡, ㉢, ㉣

4. 시민혁명의 순서와 관련 문서가 바르게 연결된 것은?

① 영국 독립선언문 – 미국 인권선언문 – 프랑스 권리장전
② 미국 독립선언문 – 영국 권리장전 – 프랑스 인권선언문
③ 프랑스 인권선언문 – 영국 독립선언문 – 미국 권리장전
④ 영국 권리장전 – 미국 독립선언문 – 프랑스 인권선언문

5. 다양한 시대의 밑줄 친 시민 중에서 가장 시민의 범위가 좁았던 것은?

① 고대 아테네의 <u>시민</u>인 테오는 투표하고 올림픽에 참여하러 출발했다.
② 프랑스 <u>시민</u>혁명을 주도한 부르주아 출신 쟝은 평민이지만 정치적인 참여가 가능했다.
③ 차티스트 운동을 주도한 노동자 마이클은 <u>시민</u>으로서 권리를 요구했다.
④ <u>시민</u> 철수 씨는 1987년 6월 민주항쟁 이후 대통령선거에 직접 참여할 수 있었다.

6. 다음 사람들이 공통으로 원하던 권리는?

· 프랑스 혁명에서 부르주아
· 차티스트운동의 노동자
· 19세기에서 20세기 초반 여성과 흑인

① 자유권 ② 청구권
③ 참정권 ④ 사회권

7. 다음은 「세계인권선언문」의 내용이다. 내용을 <u>잘못</u> 이해한 학생은?

모든 사람에게는 사회의 일원으로서 사회보장을 요구할 권리가 있으며, 자신의 존엄성과 자신의 인격의 자유로운 발전에 필수불가결한 경제, 사회적, 문화적 권리를 실현할 자격이 있다. 모든 사람에게는 이 선언에서 규정된 권리와 자유가 완전히 실현될 수 있는 사회적이고 국제적인 질서를 요구할 권리가 있다.

① 오정 : 유엔에서 제정한 것으로 2차대전 이후에 만들어졌어.
② 팔계 : 인간으로서 보장받아야 할 당연한 인권을 강조하는 내용이야.
③ 삼장 : 인권문제 해결을 위한 인류 공동의 노력을 강조하는 내용도 보여.
④ 오공 : 현재 이 인권선언문은 권리장전으로 변경되어 있어.

8. 바사크(바작)의 '인권 3세대론'에 대한 설명으로 <u>잘못된</u> 것은?

① 1세대 인권은 자유권 중심의 인권이었다.
② 2세대 인권에서는 인간다운 생활을 할 권리를 주로 보장하는 데 중점을 두었다.
③ 3세대 인권은 신체의 자유와 종교의 자유 등을 중점적으로 주장했다.
④ 3세대 인권은 연대권(집단권) 중심의 인권이다.

9. 다음 (   ) 안에 들어갈 권리는?

> (   )은(는) 원하지 않는 개인정보가 인터넷상에서 공개되어 고통받는 사람들에게 도움을 줄 수 있는 측면이 있지만 정치인이나 기업이 자신에게 유리한 정보만 남기고 불리한 정보를 삭제하여 국민의 알권리를 침해할 수도 있다는 측면도 고려해야 한다.

① 주거권
② 환경권
③ 안전권
④ 잊힐 권리

10. 다음 〈보기〉의 내용이 바르게 짝지어진 것은?

〈보기〉

> ㉠ 헌법 34조 : 국가는 재해를 예방하고 그 위험으로부터 국민을 보호하기 위하여 노력하여야 한다.
> ㉡ 헌법 제35조 1항 : 모든 국민은 건강하고 쾌적한 환경에서 생활할 권리를 가지며 국가와 국민은 환경 보전을 위하여 노력하여야 한다.

㉠ ㉡
① 환경권 - 안전권
② 주거권 - 환경권
③ 안전권 - 환경권
④ 문화권 - 안전권

11. 다음 제도의 공통적인 목적은?

> 권력분립, 민주적인 선거제도, 복수정당제

① 공정 분배
② 전쟁 방지
③ 인권 보장
④ 독재 승인

12. 기본권이 침해당했을 때 구제받을 수 있는 방법이 <u>아닌</u> 것은?

① 헌법재판소의 위헌법률 심판을 통한 구제
② 복수정당제를 도입함으로써 구제
③ 헌법소원에 의한 구제
④ 법원 재판에 의한 구제

13. 다음 사례와 관련 깊은 기관은?

· 초등학교에서 일기를 검사하는 것은 인권침해에 해당한다고 권고
· 학생들의 의지에 반하여 휴대폰을 강제로 압수하는 것은 인권침해에 해당한다고 권고

① 법무부 교정국
② 헌법재판소
③ 국가 인권 위원회
④ 국민 권익 위원회

14. 다음 사례에 해당하는 기본적인 권리는?

공무담임권, 국민투표권, 피선거권, 선거권

① 사회권
② 자유권
③ 평등권
④ 참정권

15. 역사적으로 기본권의 등장을 순서대로 바르게 나열한 것은?

① 자유권 – 참정권 – 사회권
② 사회권 – 참정권 – 자유권
③ 참정권 – 자유권 – 사회권
④ 자유권 – 사회권 – 참정권

16. 다음 사례에서 공정하고 정의로운 기본권 제한의 경우에 해당하지 않는 것은?

> ㉠ 주변국이 갑자기 밤에 기습적으로 침략해 오자 국가는 야간통행 금지를 실시했다.
> ㉡ 주요 지역에서 폭동이 발생해서 수많은 인명피해가 발생하자 정부는 집회해산을 명령했다.
> ㉢ 여당이 선거에 지자 대통령이 긴급하게 계엄령을 선포했다.

① ㉠ ② ㉡ ③ ㉢ ④ ㉠, ㉡, ㉢

17. 다음 중 시민 참여의 합법적인 방법에 해당하지 않는 것은?

① 시민 불복종 ② 시민단체 활동
③ 이익집단 활동 ④ 선거 참여

18. 시민 불복종의 조건에 해당하지 않는 것은?

① 어떤 경우에도 폭력을 사용하는 순간 더 이상 시민 불복종이 아니다.
② 법을 어기는 경우이기 때문에 처벌받을 수 있다는 것을 받아들여야 한다.
③ 법을 어기는 것을 굳이 공개적으로 보여주면서 할 필요는 없다.
④ 다른 방법이 있다면 그것을 모두 해보고 마지막 방법으로 시행해야 한다.

19. 시민참여 방법이 바르게 연결된 것은?

① 시민단체 : 자기 집단의 이익을 위해서 정치인이나 언론인들에게 압력을 행사함
② 1인시위 : 자신의 요구와 소신을 혼자서 표현하는 시위
③ 국민참여재판 : 국가나 지방자치단체의 중요 정책이나 사업을 국민들에게 설명하고 의견을 듣는 제도
④ 공청회 : 국민이 배심원으로 참여해 형사소송에서 피고인의 유무죄를 판단

20. 사회적 소수자에 대한 설명으로 잘못된 것은?

① 장애인 : 장애로 인해 취업과 이동 등에 있어 차별을 받는 경우가 많다.
② 저소득층 : 저소득으로 인해 기본적인 의식주의 확보가 어렵다.
③ 비정규직 노동자 : 정규직 노동자에 비해 임금과 복지에서 불리하다.
④ 여성 : 조선시대까지는 사회적 소수자에 해당했으나 현대에서는 완전히 극복되었다.

05. 시장 경제와 금융

05 시장 경제와 금융

01. 자본주의의 전개 과정과 합리적 선택

(1) 자본주의의 특징과 전개 과정

1) 자본주의의 의미와 특징

① 의미 : 사유 재산 제도를 바탕으로 자유로운 경제 활동을 할 수 있도록 보장하는 시장 경제의 운용원리

② 특징 : 사적 이익 추구 인정, 사유 재산권의 인정, 경제 활동의 자유 보장, 시장 경제

경제체제의 분류

생산수단의 소유형태	자본주의 경제체제	개인의 생산수단소유를 법적으로 보장
	사회주의 경제체제	사유재산금지, 생산수단의 국유화
경제 문제 해결방식에 따라	전통경제 체제	전통 및 관습에 따라 경제문제해결
	계획경제 체제	정부의 계획 및 명령에 따라 경제 문제 해결
	시장경제 체제	시장 가격에 따라 자유롭게 경제 문제 해결

2) 자본주의의 전개 과정

상업자본주의	16C~17C, 상품의 유통을 통한 이윤획득, 신항로개척과 식민지 개척을 배경으로 중상주의정책과 절대왕정의 보호아래 성장
산업자본주의	17C 말~19C 초, 산업혁명시기, 가내수공업 → 공장제 수공업, 상품의 생산과정에서 이윤을 얻음
독점자본주의	19C~20C 초, 자본의 집중, 기업결합 등에 의한 독점기업의 출현
수정자본주의	20C 초~20C 말, 시장의 실패를 극복하기 위해 국가의 적극적인 개입을 시작(뉴딜정책), 최소한의 인간다운 삶을 국가가 보장, 큰 정부
신자유주의	1970년대 석유 파동 및 스태그플레이션으로 나타나게 됨. 과도한 복지로 인한 근로 의욕저하, 정부의 재정적자 발생 → 정부의 규제완화와 철폐, 복지축소, 공기업의 민영화 등을 주장하는 신자유주의 등장

(2) 합리적 선택의 의미와 한계

1) 합리적 선택의 의미 : 최소의 비용으로 최대의 만족을 얻는 것, 자원의 희소성 때문에 필요

2) 편익과 비용

① 편익 : 선택을 통해 얻는 경제적인 이익이나 효용(주관적인 만족감)

② 비용 : 선택한 대안을 위해 포기해야 하는 가치 → 기회비용

3) 기회비용 : 경제학적 비용(명시적 비용 + 암묵적 비용)

① 명시적 비용 : 선택을 위해 실제로 지출된 비용

② 암묵적 비용 : 선택을 위해 포기한 대안이 갖는 경제적 이익

4) 매몰비용 : 이미 지불하여 회수할 수 없는 비용, 합리적 선택을 위해 고려할 필요 없는 비용

5) 합리적 선택의 한계

① 개인의 합리적 선택이 사회 전체적으로 비합리적인 결과를 초래하기도 함

② 편익과 비용을 정확하게 계산하기 어려운 경우가 있음

③ 자신의 이익을 추구하는 것이 타인의 이익과 공익을 해치기도 함

④ 바람직하지 못한 소비발생(밴드웨건 효과, 스노브 효과, 베블런 효과)

6) 합리적 선택 시 유의 사항 : 사익과 공익의 조화, 사회 규범과의 조화

(3) 합리적 선택의 과정

1) 과정

문제 인식 하기 → 대안 나열 하기 → 평가 기준 설정하기 → 대안평가 하기 → 선택 및 실행하기

기회비용 구하기

문제 : A는 시간당 9000원을 받고 식당에서 아르바이트를 하고 있다. 그런데 친구들이 영화를 보러 가자고 해서 3시간동안 아르바이트 대신 영화를 보고 왔다. 영화 티켓 값은 8000원이었다. 이때 기회비용은 얼마일까?

답 : 기회비용은 명시적 비용과 암묵적 비용의 합이므로 티켓 값 8000원과 아르바이트로 벌 수 있었던 돈 3시간분인 27000원을 더해 35000원이다.

비합리적인 소비

밴드웨건 효과	동조소비, 타인의 소비를 무조건 모방하는 것, 유행하는 물건의 구매
스노브 효과	타인들이 소비하는 것은 무조건 거부, 남과 다른 것만을 소비
베블런 효과	과시소비, 부를 과시하기 위해 가격이 비싸도 소비하는 것

02. 시장경제와 경제 주체의 역할

(1) 시장의 의미와 기능

1) 시장의 의미 : 상품에 대한 정보 교환 및 거래가 이루어지는 장소

2) 시장의 기능 : 비용을 줄이고 특화와 교환을 가능하게 해 생산성 향상에 기여, 자원의 효율적인 배분가능

(2) 시장의 한계

1) 불완전 경쟁

① 독점 : 공급자가 하나밖에 없어 공급자가 가격이나 생산량을 마음대로 결정

② 과점 : 소수의 공급자가 담합을 통해 가격이나 생산량을 조절

③ 문제점 : 소비자들이 시장가격보다 높은 가격을 지불해야 할 가능성이 높아짐 →『독점규제 및 공정거래에 관한 법률』(일명 공정거래법) 로 규제

2) 공공재 공급 부족

① 공공재 : 치안, 국방 등과 같이 다수의 사람들이 공동으로 소비할 수 있는 재화와 서비스

② 공공재의 특징 : 대가를 지불하지 않은 사람들의 소비를 막을 수 없고, 한 사람의 소비가 다른 사람들의 소비를 제한하지 않음

3) 외부 효과 : 개인, 기업 등 어떤 경제주체의 행위가 다른 경제주체들에게 기대되지 않은 혜택이나 손해를 발생시키는 효과, 외부 경제와 외부 불경제로 나눌 수 있다.

외부 경제, 외부 불경제

- 외부 경제 : 의도치 않게 제3자에게 이익을 주지만 댓가를 받지 못하는 것으로 보조금 지급, 세제 혜택 등 긍정적 유인을 제공해 생산이나 소비를 늘림으로써 증가시킴
- 외부 불경제 : 의도치 않게 제3자에게 불이익을 주지만 어떠한 비용도 지불하지 않는 것으로 오염 물질 배출량 제한, 세금 부과 등 규제를 통해 생산이나 소비를 줄임으로서 해결

(3) 시장에서 나타날 수 있는 다양한 문제 : 경제적 불평등, 노사갈등, 실업, 인플레이션 등

(4) 시장 경제 참여자의 바람직한 역할

1) 정부의 역할 : 공정경쟁을 위한 제도 제정(독점기업의 횡포와 담합에 대한 단속, 소비자 권리 보호장치 마련), 공공재 생산 및 공급, 사회간접자본제공, 소득재분배 정책(누진세, 상속세, 증여세, 저소득층지원제도 등), 물가안정정책

2) 기업의 역할 : 기업가 정신(혁신, 창의성, 도전, 통찰력, 인내심, 소신, 블루오션에 도전), 건전한 이윤을 추구하고 소비자의 권익을 고려하는 기업윤리경영

3) 노동자의 역할 : 노동 3권의 보장(단결권, 단체교섭권, 단체행동권), 역할에 충실해서 기업과의 공생을 위한 의무이행

노동 3권

- 단결권 : 노동조합을 결성할 수 있는 권리
- 단체교섭권 : 노동조합이 사용자와 근로조건 등에 대해 교섭할 수 있는 권리
- 단체행동권 : 근로자가 파업이나 태업 등과 같은 단체 행동을 할 수 있는 권리

(5) 소비자의 역할

1) **소비자 주권** : 생산물의 종류와 수량을 결정하는 권한이 소비자에게 있다는 것

2) **합리적 소비** : 편익과 비용을 고려하여 소비, 소득을 넘어서는 과소비 지양

3) **윤리적 소비** : 노동자의 인권, 환경 보호, 공정무역 등을 고려하여 소비

03. 국제 무역의 확대와 영향

(1) 국제 분업과 무역의 필요성

1) 국제 분업

① 의미 : 각 나라가 타국보다 더 잘 만들 수 있는 재화와 서비스를 특화하여 생산
② 발생 이유 : 국가 간 생산비의 차이 → 자원의 편재성, 노동과 자본의 양 및 질적 차이

2) 무역

① 의미 : 각 나라가 자신들이 생산한 상품이나 서비스를 다른 나라와 사고파는 국제 거래
② 필요성 : 각국이 특화 생산하여 교환하면 거래 당사자 간에 이익이 발생, 자국에서 얻기 힘든 물건을 다른 나라에서 얻을 수 있음

3) 절대우위와 비교우위

① 절대우위(애덤스미스) : 한 나라가 어떤 상품을 생산하는 비용이 다른 나라보다 적게 드는 것으로 그 상품을 특화해서 타국과 상호교환하면 무역 이익이 발생한다고 보는 것
② 비교우위(리카도) : 한 나라가 생산하는 상품의 기회비용이 다른 나라보다 낮은 것으로 이 부분을 특화해서 교환하면 양국 모두에 무역 이익이 발생함

(2) 국제 무역 확대와 영향

1) **국제 거래 확대** : 세계무역기구(WTO) 등장과 자유무역협정(FTA) 체결로 국제 거래가 더욱 확대되고 있음

2) 무역의 긍정적 영향

① 기업의 생산성과 효율성 향상 : 외국 기업과의 경쟁을 통한 기술 개발과 생산성 향상에 힘쓰게 됨

② 규모의 경제와 고용 창출 : 전 세계를 대상으로 생산하므로 대량 생산을 통해 단위당 생산비가 절감되고 생산량 증가로 인해 고용 창출이 이루어질 수 있음

③ 새로운 아이디어 및 기술전파 : 교류의 확대는 다양한 기술이나 문화가 들어오는 계기가 됨

④ 풍요로운 소비 생활 : 선택할 수 있는 재화와 서비스의 폭이 확대되어 저렴하고 질 좋은 재화와 서비스의 소비 가능

⑤ 문화 교류의 활성화 : 다양한 문화를 누릴 수 있고 문화 발전에 이바지함

3) 무역의 부정적 영향

① 산업의 위축 : 경쟁력이 없는 기업과 산업 위축, 실업증가, 국가 산업에 악영향

② 무역의존도 증가 : 무역비중이 높은 경우 상대 국가의 경제 상황에 따라 국내 경제가 큰 영향을 받음

③ 국가 간 빈부 격차 심화 : 선진국과 개발도상국 간의 무한경쟁으로 격차가 더욱 커질 수 있음

04. 자산 관리와 금융 생활

(1) 다양한 금융 자산과 합리적 자산 관리

1) 자산 : 유무형의 재산, 현금 · 예금 · 주식 · 채권 · 부동산 등

2) 자산 관리 : 저축과 투자에 대한 계획을 세우고 실행하는 것, 평균수명 연장으로 더욱 필요

(2) 다양한 금융 자산

1) 예금

① 자본을 일정기간 은행에 예치해 만기일에 원금과 이자를 받는 것

② '예금자보호법' 적용으로 안전성이 높지만 수익성은 낮은 편

2) 적금

① 계약 기간 동안 일정 금액을 여러 번 납입하여 만기 시 원금과 이자를 받는 것

② 예금과 함께 예금자보호법의 적용을 받음

3) 주식 : 주식회사가 자금 조달을 위해 발행하는 증서, 배당금을 받거나 주식을 팔아 시세 차익을 얻을 수 있음, 수익성은 높지만 안전성이 낮은 편

4) 채권 : 정부, 은행, 기업 등이 정해진 시점에 원금과 이자를 지급할 것을 약속하고 돈을 빌린 후 제공하는 증서, 주식보다 비교적 안전성이 높지만 원금 손실 가능성도 있음, 예금보다 수익성이 높은 편

5) 펀드 : 다수의 투자자에게서 모은 자금을 금융 기관이 주식 및 채권 등에 투자하여 그 수익을 투자자들에게 분배하는 간접 투자 상품, 원금 손실이 발생할 수 있음

6) 보험 : 미래 사고에 대비해 정기적으로 보험료를 내고, 사고가 나면 약속한 보험금을 받는 제도

7) 연금 : 노후를 위해 돈을 적립해 두고 은퇴 후 일정 금액을 정기적으로 지급받는 상품

(3) 자산 관리의 원칙

1) 자산의 안전성

① 예금 : 원금의 손실을 가져올 가능성이 거의 없으므로 안전성이 높음

② 주식, 채권 : 원금의 손실을 가져올 수 있어 예금보다 안전성은 낮음

2) 자산의 수익성

① 예금 : 예금이자가 유일한 기대수익으로 수익성이 낮음

② 주식, 채권 : 주식가격의 상승분, 배당금, 기대수익이 예금보다 높은 편

3) 자산의 유동성

① 자산을 쉽게 현금으로 바꿀 수 있는 정도

② 예금은 유동성이 높은 편, 부동산은 유동성이 낮은 편

4) 합리적 자산 관리

① 목적과 기간에 따라 수익성, 안전성, 유동성을 고려해야 함

② 분산투자(포트폴리오)가 필요

(4) 생애 주기와 금융 생활의 설계

1) 생애 주기

① 생애 주기 의미 : 시간의 흐름에 따라 인간의 삶이 어떻게 변하는지를 단계별로 표시

② 발달 과업 : 생애 주기에 따라 단계별로 요구되는 과업

③ 생애 주기에 따른 발달 과업

㉠ 아동기(청소년기 포함) : 지식과 규범 학습, 자아정체성을 형성, 진로 탐색

㉡ 청년기 : 경제적 독립, 취업 준비, 신념 확립, 결혼과 가족생활 준비

㉢ 중장년기 : 자녀 양육, 주택 마련, 직업역할 수행, 노후대비

㉣ 노년기 : 은퇴 이후 소득 감소에 적응, 건강 관리, 노후 생활 준비

2) 생애 설계의 의미와 방법

① 생애 설계의 의미 : 인생 목표를 실현하기 위해 수행하는 전 생애에 걸친 종합적이고 장기적인 계획

② 생애 설계의 중요성 : 자신의 삶 예측 가능, 과업에 대한 사전 인식, 미래의 과업 수행에 대비

③ 생애 설계의 방법 : 삶의 목표 설정 → 세부적인 하위목표 설정 → 실천 방안 마련

생애 주기와 재무 설계

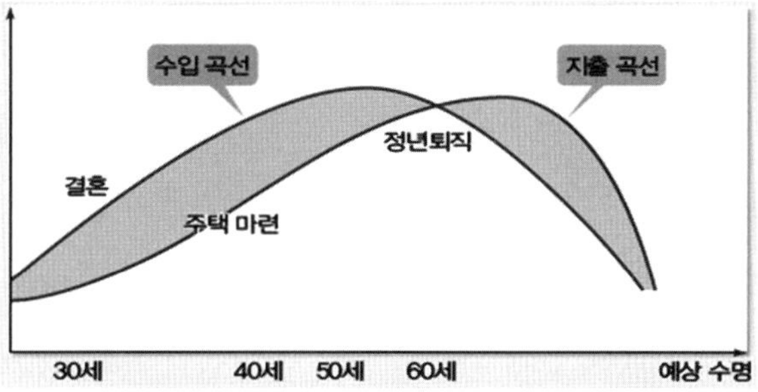

3) 생애 주기별 재무 설계

생애 주기에 따른 단계적 과업을 설정하고 생애 주기별 과업을 바탕으로 재무 목표를 설정하여 목표 달성에 필요한 구체적인 계획을 세우는 과정

재무 설계의 과정

① 재무 목표 수립 : 결혼 자금 마련, 주택 마련, 은퇴 준비 등 생애 주기에 따른 과업들을 재무 목표로 삼을 수 있음, 목표에 따른 지출 금액을 예상해보고 투자 기간을 설정함

② 재무 상태 파악 : 현재 소득과 지출 상황, 보유 자산 등을 점검함, 목표 달성을 위해 부족한 예산을 확인하고 이를 계획 수립에 반영함

③ 포트폴리오 구성 : 재무 목표의 성격과 투자 기간에 따라 수익성, 안전성, 유동성을 고려해서 포트폴리오를 구성함

④ 실행 : 재무 설계에 따라 이를 성실하게 실천함

⑤ 실행 결과 평가 : 정기적으로 포트폴리오를 점검함, 소득과 지출의 변화 발생 시 계획을 수정함

1. 다음 〈보기〉를 통해 형성된 자본주의는?

〈보기〉

· 신항로 개척
· 중상주의 정책
· 상품의 유통을 통한 부의 축적

① 산업자본주의
② 수정자본주의
③ 상업자본주의
④ 독점자본주의

2. 다음 역사적 사실을 통해 새롭게 등장한 자본주의는?

1929년에 발생한 경제대공황을 극복하기 위해서 미국의 루스벨트 대통령은 뉴딜 정책을 실시한다. 정부가 직접 일자리를 만들어서 제공하면 자연스럽게 소비가 뒤따르고 고용이 촉진될 것으로 판단했다.

① 수정자본주의
② 독점자본주의
③ 신자유주의
④ 산업자본주의

3. 다음은 무엇에 대한 설명인가?

선택에 따른 편익이 비용보다 큰 것을 선택해야 하고 매몰비용을 고려해서는 안 된다.

① 명시적 비용
② 합리적 선택
③ 암묵적 비용
④ 비합리적 선택

4. 다음 중 시장의 실패에 해당하지 <u>않는</u> 것은?

① 공공재의 공급 부족
② 외부효과의 발생
③ 복지병의 발생
④ 독과점의 발생

5. 다음 상황에서 여행을 간다면 발생하는 기회비용은 얼마인가?

> 편의점을 운영하는 갑은 3일간 여행을 가려고 한다. 여행비용으로 200만원이 들 것으로 예상된다. 만약 여행을 가지 않고 그 기간에 편의점을 운영한다면 100만원을 벌 것으로 예상된다.

① 100만원
② 200만원
③ 300만원
④ 0원

6. 다음 사례를 극복하기 위한 법과 기관이 바르게 나열된 것은?

> · A사는 이번에 유일한 경쟁기업인 B사를 인수합병해서 유일한 판매자가 되었다.
> · 이동통신사를 고민하던 C군은 선택의 여지가 매우 좁아 두 회사 중에서만 골라야 했다.

① 중소기업법 - 인권위원회
② 공정거래법 - 공정거래위원회
③ 공정거래법 - 외교통상위원회
④ 중소기업법 - 국민고충위원회

7. 다음 〈보기〉의 내용에 대한 설명으로 잘못된 것은?

〈보기〉

> 갑과 을은 회사 내에 노동조합을 만들기로 의기투합했고 동료들을 설득해서 참여를 이끌어내 드디어 노동조합을 결성하는 데 성공했다. 이후 노조대표로 선출된 갑은 사용자에게 근로조건과 내년도 임금에 대해 협상을 요청했다.

① 헌법에 보장된 사용자의 권리에 해당한다.
② 단결권과 단체 교섭권의 사례이다.
③ 사례에서는 단체행동권은 제시되어 있지 않다.
④ 바람직한 노사관계를 위해 헌법에 보장되어 있는 권리이다.

8. 미래의 위험과 불확실성을 무릅쓰고 혁신과 창의성을 바탕으로 새로운 이윤을 추구하려는 기업가의 의지를 무엇이라 하는가?

① 기업가 정신 ② 품질경영 정신
③ 시장중심 정신 ④ 레드오션 정신

9. 다른 사람에게 혜택을 주지만 그에 대한 댓가를 받지 않는 경우는?

① 외부 경제 ② 외부 불경제
③ 공공재 부족 ④ 과점 발생

10. 다음 〈보기〉와 관련된 소비행태는?

〈보기〉

· 과포장된 상품은 구매를 자제한다.
· 아동노동을 이용한 상품을 거부한다.
· 공정무역제품을 주로 구매하려고 노력한다.

① 과시소비 ② 윤리적 소비
③ 과소비 ④ 동조소비

11. 국제분업과 무역의 발생원리에 대해 잘못 설명한 것은?

① 한 국가가 어떤 상품을 다른 국가보다 적은 생산비로 생산하는 것을 절대우위라고 한다.
② 각 국가는 비교우위 상품을 특화하여 생산하고 무역을 통해 교역하면 모두 이익을 볼 수 있다.
③ 한 국가가 다른 국가에 비해 상대적으로 적은 기회비용으로 상품을 생산하는 것을 비교우위라고 한다.
④ 생산요소의 지역적 분포가 모두 다르기 때문에 분업과 무역은 도움이 되지 않는다.

12. 다음 통계를 보고 <u>잘못</u> 설명한 것은?

	휴대폰	의류
갑국	100원	200원
을국	600원	400원

(갑국과 을국의 상품별 생산비용)

① 갑국은 휴대폰에 비교우위가 있다.
② 을국은 휴대폰과 의류 모두 절대우위에 있다.
③ 갑국은 휴대폰 1 단위를 생산하는 데 옷 0.5 단위를 포기해야 한다.
④ 을국은 휴대폰 1 단위를 생산하는 데 옷 1.5 단위를 포기해야 한다.

13. 국제무역의 확대배경으로 볼 수 <u>없는</u> 것은?

① 인터넷을 통한 통신망의 발달
② 소비자 선택의 폭이 증가
③ 자유로운 무역을 주장하는 세계무역기구의 결성
④ 국가 간 자유무역을 중심으로 하는 자유무역협정의 체결

14. 국제무역과 관련해 바르게 설명한 것은?

· 국제무역의 긍정적 영향 : (가)
· 국제무역의 부정적 영향 : (나)

〈보기〉

㉠ (가) 경쟁을 통한 생산성의 향상
㉡ (나) 선진국과 개도국의 빈부격차의 증가
㉢ (가) 정부의 독자적인 경제 정책을 시행하기 어려움
㉣ (나) 생산비를 절감해서 규모의 경제 실현

① ㉠, ㉡ ② ㉠, ㉢ ③ ㉡, ㉣ ④ ㉢, ㉣

15. 보유하고 있는 자산을 쉽게 현금으로 전환할 수 있는 순서대로 바르게 나열한 것은?

① 아파트 – 채권 – 보통예금
② 보통예금 – 주식 – 부동산
③ 주식 – 채권 – 토지
④ 예금 – 아파트 – 주식

16. 각 금융자산별 수익과 위험정도를 잘 알아두고 투자목적과 기간에 따라 분산투자를 해야한다. 이와 같은 투자방식을 무엇이라 하는가?

① 집중투자
② 포트폴리오
③ 재무투자
④ 금융투자

17. 다음 생애 주기 곡선에서 A부분과 B부분에 대한 설명으로 옳은 것은?

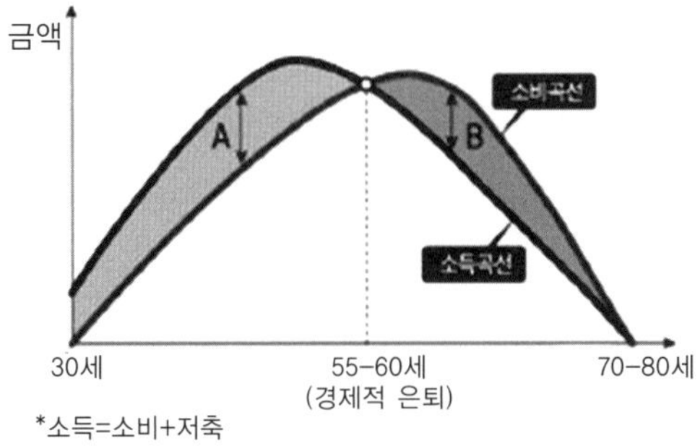

① A부분은 소득보다 지출이 더 많은 구간이다.
② A부분은 소득에서 지출을 빼고 남은 구간으로 저축이라고 한다.
③ B부분은 일반적으로 지출이 소득보다 적은 구간으로 저축이 가능하다.
④ B부분은 은퇴 이후 연금수령으로 청장년기보다 높은 수입이 나타난다.

18. 다음 생애 주기 단계에 대한 설명으로 잘못된 것은?

생애 주기 단계	시기 특징
A	학습과 자아정체성을 형성하는 시기
B	은퇴 이후 소득감소를 경험하는 시기
C	취업, 결혼을 경험하는 시기

① A시기에는 진로에 대한 고민이 많은 시기이다.
② 생애 주기 순서는 A-C-B 이다.
③ B시기에 최대한의 자산관리를 통해 재산증식을 해야 C시기에 편안한 삶을 살 수 있다.
④ C시기에는 경제적인 독립을 성취하는 시기이다.

19. 다음 교사의 질문에 바르게 대답한 학생은?

> 교사 : 수익성이 좋은 순서는 A〉B〉C, 안전성이 좋은 순서는 C〉B〉A 입니다. 각자 A, B, C에 대해서 말해보세요. (A~C는 각각 예금, 주식, 채권 중 하나임)

① 갑 : 수익성이 가장 좋은 A는 확실히 채권입니다.
② 을 : B는 쉽게 현금화도 가능한 주식입니다.
③ 병 : A는 주식, B는 채권, C는 예금입니다.
④ 정 : 젊을수록 무조건 자산을 A에 모두 투자하는 것이 현명합니다.

20. 재무 설계 과정에서 (　　) 안에 알맞은 것은?

> 재무 목표 설정 - (　　) 파악 - 계획 수립 - 계획 실행 - 실행결과 평가와 수정

① 재무 상태　　② 포트폴리오
③ 수익성　　④ 생애 주기

06. 정의와 사회 불평등

06 정의와 사회 불평등

01. 정의의 의미와 실질적 기준

(1) 정의의 의미와 역할

1) **정의의 의미** : 공정하고 올바른 도리, 우리 모두가 추구해야 할 기본적 덕목, 자기 몫을 분배받는 것

> 아리스토텔레스의 정의
>
> ① 일반적 정의 : 공동선과 덕을 장려하는 법을 지킴으로써 성립되는 정의
>
> ② 특수적 정의
>
> ㉠ 분배적 정의 : 시민들 사이에 분배되는 권력, 명예, 재화 등에 관련된 것으로 각자가 기여한 정도에 따라 비례해서 분배하는 정의
>
> ㉡ 교정적 정의 : 이익과 손해의 균등을 회복시켜주는 정의로 다른 사람에게 해를 끼치면 그만큼 보상해주고 다른 사람에게 이익을 준 경우 그만큼 받는 것
>
> ㉢ 교환적 정의 : 같은 가치를 지닌 두 물건을 교환하게 함으로써 교환의 결과가 공정하게 하는 정의

2) **정의의 역할** : 국민의 기본권을 보장(최소한의 인간다운 삶을 보장), 개인선과 공동선의 조화를 통한 사회통합의 기반마련, 옳고 그름의 판단기준 제시

> 개인선과 공동선
>
> ① 개인선 : 사익, 개인에게 이익이 되거나 행복을 가져다주는 것
>
> ② 공동선 : 공익, 공동체 모두의 행복이나 발전을 가져다주는 것

(2) 정의의 실질적 기준

1) **정의의 실질적 기준의 필요성** : 사회자원의 희소성과 유한성 때문에 공정분배가 필요

2) 정의의 실질적 기준 : 능력, 업적, 필요 등

① 능력에 따른 분배

㉠ 의미 : 신체적, 정신적 능력에 따라 분배

㉡ 장점 : 개인이 지닌 잠재력을 실현할 수 있는 기회를 제공

㉢ 단점 : 능력 평가 기준 모호, 선천적이고 우연한 능력 고려하지 않음, 경제적 약자의 소외감 유발, 사회불평등 심화

② 업적에 따른 분배

㉠ 의미 : 사람들의 업적과 기여도에 따른 분배

㉡ 장점 : 성취동기자극, 공정성 확보

㉢ 단점 : 과열경쟁으로 사회적 갈등 발생, 약자에 대한 배려 부족

③ 필요에 따른 분배

㉠ 의미 : 인간다운 삶을 보장하기 위해 기본 욕구를 충족하는 분배

㉡ 근거 : 능력과 업적만으로 분배하는 것은 불공정(신체, 인종, 지역, 가정환경, 교육여건 등의 영향을 받기 때문)하기 때문에 사회적 약자를 보호하기 위해 기회의 평등을 넘어 결과의 평등을 지향

㉢ 장점 : 다양한 복지 제도와 사회 안전망을 마련하는 근거, 사회적 불평등 문제를 개선하여 경제의 안정성을 도모

㉣ 단점 : 경제적 비효율성 증가, 모든 사람의 필요와 욕구를 만족시킬 수 없음

롤스의 정의

롤스는 공정한 절차를 통해 합의된 것이라면 정의롭다고 보는 순수 절차적 정의를 내세워 '공정으로서의 정의'를 주장하였다.

제 1 의 원칙	평등한 자유의 원칙	모든 사람은 동등한 기본적 자유를 최대한 누려야 한다
제 2 의 원칙	차등의 원칙	"최소 수혜자에게 최대이익을 보장" 해야 한다.
	기회균등의 원칙	직책이나 지위는 모든 사람에게 개방되어야 한다.

02. 다양한 정의관

(1) 자유주의적 정의관

1) 자유주의 의미와 특징

① 의미 : 개인의 자유로운 선택, 소유권을 절대적인 가치로 인정

② 특징 : 타인에게 피해를 주지 않는 한, 국가는 개인의 삶에 개입하거나 간섭하지 않고 자유를 최대한 보장하는 것이 효율적

2) 자유주의 정의관과 공동선 : 자유로운 이익 추구로 개개인의 욕구가 충족되고 국부가 증진되어 공동선에 이바지, 자유로운 경제활동을 위해 국가는 최소한의 역할만 하는 것이 좋음

3) 자유주의 한계

① 사회적 약자는 경쟁에서 도태

② 우연적 조건이나 운에 의한 분배가 나타날 수 있음

③ 타인에게 무관심, 자기 이익만을 추구, 공동선이 사라질 수도 있음

(2) 공동체주의적 정의관

1) 공동체주의 의미와 특징

① 의미 : 개인의 자아정체성과 삶은 공동체의 역사와 전통을 공유

② 특징 : 공동체가 지향하는 가치와 미덕을 고려하여 분배하고 개인은 이를 존중

2) 공동체주의 정의관과 공동선

① 개인의 권리나 의무는 공동체와의 관계 속에서 적용

② 개인은 연대 의식, 봉사정신, 희생정신 필요, 국가는 이와 같은 미덕을 제시하고 권장

3) 공동체주의 한계

① 개인의 자유를 억압하는 정의롭지 못한 제도가 나타날 수 있음

② 연고주의, 인류의 보편적 가치를 위협하는 행위가 등장할 수 있음

03. 개인과 공동체의 관계

(1) 개인과 공동체의 조화

1) **상호 보완적 관계로 조화를 지향** : 개인선의 실현은 자연스럽게 공동선의 실현으로 연결

2) **사익과 공익의 조화** : 자유주의는 의무를 존중, 공동체주의는 개인의 사익을 존중해야 함

3) **권리와 의무의 조화**

① 권리는 사회 속 개인이 자유를 행사하는 것, 의무는 공동체의 질서를 유지하기 위해 지켜야 하는 것

② 책임과 의무는 개인의 권리를 전제함, 권리와 의무, 권리와 책임은 상호보완적

(2) 개인선 또는 공동선 만을 추구할 때의 문제점

1) **개인선 만을 추구** : 타인의 권리를 침해하고 공동선을 훼손하여 사회적 갈등과 위기를 유발

예 공유지의 비극

2) **공동선 만을 추구** : 개인의 자유와 권리가 위축되고, 사회를 위한 개인의 희생을 정당화 함

예 전체주의

> 공유지의 비극
>
> 어느 마을의 공유지에 풀이 가득했다. 마을 주민들은 자신의 목장에 풀이 많음에도 불구하고 너도나도 공짜인 공유지에 몰려들어 자신의 가축들을 풀어놓았다. 결국 1년도 안되어 공유지의 풀은 씨가 말랐고 가축들의 오물만이 가득해져 이후 그 누구도 공유지를 이용하지 못하게 되었다.

3) **자유와 권리 보장 및 의무 이행** : 공동체는 개인의 자유와 권리를 최대한 보장하고, 개인은 공동체에 대한 의무를 적극적으로 다할 필요가 있음

자유주의와 공동체주의 비교

구분	자유주의	공동체주의
인간관	공동체 역할보다 개인의 선택에 의한 자아정체성 중시	공동체 전통과 가치를 통해 개인의 정체성 형성
국가관	국가는 개인 보호에만 집중 국가의 중립성 강조	국가가 개인의 삶에 적극적 관여 국가의 중립적 태도 반대
한계	의무에 무관심, 사회통합 어려움	개인의 자유를 억압
대표적 사상가	노직, 롤스	매킨타이어, 샌델

04. 불평등의 해결과 정의의 실현

(1) 사회 불평등 현상의 의미와 양상

1) 의미 : 희소한 자원이 차등적으로 분배되어 구성원들의 위치가 서열화 되어 있는 상태

2) 영향

① 긍정적 영향 : 차별적 보상으로 구성원들에게 동기 부여가 됨

② 부정적 영향 : 불평등이 심화될 경우 정의로운 사회 실현을 방해하고 구성원들을 무기력하게 만들며 결국 사회불안을 불러옴

3) 불평등의 양상

① 계층의 양극화 현상(중층 감소, 상하층 증가)

② 공간 불평등(도시와 농촌, 수도권과 비수도권 간의 격차 증가)

③ 사회적 약자 차별(성별, 나이, 신체조건, 경제지위 등으로 차별)

(2) 정의로운 사회를 위한 다양한 제도와 실천 방안

1) 사회복지제도

① 의미 : 기본적 욕구 충족 및 정상적인 생활을 할 수 있도록 사회적으로 지원하는 제도

② 의의 : 사회적 양극화의 완화, 인간의 존엄성 보장, 사회통합에 도움

③ 종류

종류	특징	사례
공공부조	생활유지가 어려운 사람들에게 국가가 최저의 생활을 보장하고 자립을 지원하는 제도, 본인부담 없음, 가입 없음, 소득재분배 효과 강함	국민기초생활보장제도, 의료급여제도
사회보험	일정한 소득이 있는 국민에게 보험방식으로 미래에 있을 사회적 위험을 미리 대비하게 하는 제도, 본인 부담 있음, 의무가입, 상호부조 기능 강함	국민연금, 국민건강보험, 고용보험, 산업재해보상보험, 노인장기요양보험 등
사회복지서비스	사회적인 약자에게 실질적이고 비금전적인 지원을 하는 것	복지시설이용, 직업소개, 직업훈련과 교육 등

2) 공간 불평등의 완화 방안(지역 격차 완화 정책)

① 지방 분산 : 공공기관의 이전, 혁신도시 개발

② 자립형 지역 발전 기반 마련 : 지역 브랜드 구축, 관광마을 조성, 지역 축제 등의 장소 마켓팅

③ 도시 불평등 개선 : 저렴한 공공임대 주택, 장기전세 주택 보급, 도시환경정비 등

3) 적극적 우대 조치

① 의미 : 사회적 약자에게 실질적 기회의 평등을 보장하기 위해 혜택을 부여하는 것

② 필요성 : 오랫동안 차별받아온 상태로 강력한 우대 조치 없이는 해결 어려움 (역차별이나 낙인효과 발생 가능성 있음)

③ 사례 : 여성 고용 할당제, 장애인 의무 고용 제도, 사회적 배려 대상자 전형 등

1. 정의에 대한 설명으로 적당하지 않은 것은?

① 서양에서의 정의는 자신의 몫을 주는 것이다.
② 동양에서의 정의는 옳은 것을 의미한다.
③ 일반적으로 올바른 도리이자 사회구성의 공정한 도리를 말한다.
④ 공정함의 기준이 모두 같기 때문에 정의도 모두 동일하다.

2. 아리스토텔레스의 정의에 대한 표를 보고 ㉠, ㉡에 들어갈 말로 옳은 것은?

(㉠) 정의	공익을 위한 법을 준수하는 것
특수적 정의	(㉡) 정의 : 각자의 가치에 따라 권력, 명예, 재화 등을 분배
	교정적 정의 : 손해와 이익에서 사람들 간의 동등하지 않음을 바로잡는 것
	교환적 정의 : 교환의 결과를 공정하게 하는 것

① ㉠ - 전문적, ㉡ - 절대적
② ㉠ - 일반적, ㉡ - 분배적
③ ㉠ - 일반적, ㉡ - 절대적
④ ㉠ - 전문적, ㉡ - 분배적

3. "서로 다른 종류의 업적을 비교하기 어렵고 경쟁이 과열되며 사회적 약자에 대한 배려가 부족하다"는 단점이 있는 분배 기준은?

① 업적
② 필요
③ 절대 평등
④ 능력

4. 사회적 약자를 배려하게 되고 인간다운 삶을 보장하는 장점이 있으나 노동의욕을 저하시킬 가능성이 있는 분배 기준은?

① 평등
② 필요
③ 업적
④ 능력

5. 다음 〈보기〉에 해당하는 분배방식은?

〈보기〉

· 이번 회식은 N분의 1 방식으로 비용을 충당하려고 하니 모두 적극적으로 참여해 주시기 바랍니다.
· 참여하신 모든 분들에게 똑같이 이익을 분배하려고 하니 모두 신청해주시기 바랍니다.

① 능력
② 필요
③ 평등
④ 업적

6. 다음 설명에 해당하는 사상(입장)은?

타인의 자유를 침해하지 않는 한에서 개인의 자유와 권리를 최대한 보장하는 것을 정의라고 생각하는 사상

① 사회주의
② 전체주의
③ 자유주의
④ 공동체 주의

7. 롤스의 주장에서 <u>잘못된</u> 부분은?

제1의 원칙	㉠ 평등의 원칙	㉢ 누구나 자유와 평등을 누림
제2의 원칙	㉡ 차등의 원칙	최소수혜자에게 최대이익을 보장
	기회균등의 원칙	㉣ 약자에게 결과까지 완벽하게 평등 보장

① ㉠ ② ㉡ ③ ㉢ ④ ㉣

8. 다음 사례에서 강조하고자 하는 것은?

> 한 마을에 누구나 소를 풀어놓고 풀을 먹일 수 있는 공유지가 있었다. 마을 사람들은 너도 나도 모두 자신들의 소를 공유지에 풀어놓았고 결국 그 풀 많던 공유지는 새로운 풀이 자랄 수 없는 황무지로 변해 버렸다. 이후 마을 사람 누구도 공유지를 이용할 수 없게 되었다.

① 공익의 중요성　　② 사익의 중요성
③ 사익과 공익의 조화　　④ 전체주의의 무서움

9. 공동체주의적 정의관이 지나칠 경우에 해당하는 역사적 사례는?

① 간디의 비폭력 불복종운동　　② 2차대전 때 등장한 나치즘
③ 킹목사의 흑인인권운동　　④ 알렉산더 대왕의 동방정벌

10. 자유주의적 정의관을 기반으로 재산의 정당한 취득과 양도에 따르는 개인의 절대적 소유권(재산권)을 강조했던 학자는?

① 매킨타이어　　② 롤스
③ 노직　　④ 칸트

11. 다음 그래프를 보고 바르게 평가한 것은?

① 한국의 계층 간 소득 격차가 점차 감소하고 있다.
② 미국도 상위계층의 소득 점유율이 높은 것을 보니 소득격차는 바람직한 것이다.
③ 한국의 빈부격차가 커지는 것은 사회 불안요소에 해당한다.
④ 한국의 소득격차는 경쟁력 강화에 매우 큰 도움이 된다.

12. 다음 그래프를 통해서 알 수 있는 것은?

① 도시와 농촌의 격차가 점차 커지고 있다.
② 사회 계층 양극화 현상이 나타나고 있다.
③ 중산층에 대한 정부지원을 감소시켜야 한다.
④ 지역 간 중산층 차이가 심해지고 있다.

13. (   ) 안에 알맞은 말은?

> (   )이란 여성과 소수자가 자격과 능력이 있음에도 불구하고 조직의 상층부로 올라가지 못하도록 가로막는 장벽을 비유하는 말이다.

① 인종차별 현상　② 공간차별 현상
③ 유리천장 현상　④ 실력차별 현상

14. 우리나라 공간 불평등의 원인으로 가장 옳은 것은?

① 균형 개발 방식　② 광역 개발 방식
③ 낙후지역 개발 방식　④ 거점 개발 방식

15. 국가가 전액 지원하는 사회복지제도로 국민의 최저생활을 보장하는 제도에 해당하지 않는 것은?

① 의료급여 제도　② 노인장기요양 보험
③ 국민기초생활보장 제도　④ 기초 노령 연금

16. 다음 중 상호부조기능이 강하고 소득이 있는 사람들은 의무가입 해야 하는 사회복지 제도가 아닌 것은?

① 산업재해보상보험　② 국민건강보험
③ 국민연금　④ 기초수급제도

17. 사회적 약자에게 실질적 기회의 평등을 보장하기 위해 일정한 혜택을 우선적으로 부여하는 정책은?

① 사회보험
② 적극적 우대 조치
③ 역차별 조치
④ 소극적 우대 조치

18. 역차별의 논리에 해당하지 <u>않는</u> 것은?

① 차별을 없애기 위해 또 다른 차별을 하는 것이다.
② 실력을 무시하고 실력과 무관한 기준으로 혜택을 주고 있다.
③ 무고한 사람들이 역차별을 당하게 되는 경우가 발생한다.
④ 약자를 배려하는 것은 사회 전체 행복을 증진할 수 있다.

19. 다음 그림의 공기업 지방이전이 의미하는 것과 관련이 <u>없는</u> 것은?

① 수도권의 집중적인 발전에 도움
② 수도권과 지방 간의 격차 완화 효과
③ 지역발전의 계기가 될 수 있음
④ 공간의 불평등을 해결하는 데 도움을 줄 수 있음

20. 도시지역 내부의 불평등을 개선하는 방법으로 적당하지 <u>않은</u> 것은?

① 공공임대 아파트를 저렴하게 공급한다.
② 장기전세 주택 공급을 증가시킨다.
③ 지역축제를 활성화시킨다.
④ 도시환경정비사업을 전개한다.

07. 문화와 다양성

07 문화와 다양성

01. 세계의 다양한 문화권

(1) 문화권의 형성에 영향을 끼친 요인

1) 문화와 문화권

① 문화 : 인간이 만들어낸 의식주, 종교, 언어, 풍습 등의 총체적인 생활양식

② 문화권 : 문화적 특성이 유사하게 나타나는 범위

2) 자연환경 : 기후와 지형 등의 자연환경은 의복, 음식, 주거형태 등에 영향을 줌

① 의복

㉠ 열대기후지역 : 통풍이 잘되는 옷

㉡ 건조기후지역 : 얇은 천으로 온몸을 감싸는 옷

㉢ 한대기후지역 : 동물의 가죽이나 털로 만든 옷

② 음식

㉠ 고온다습한 아시아 계절풍 기후 지역 : 쌀을 주식으로 하는 음식 문화

㉡ 건조 기후 지역과 유럽 : 빵과 고기를 먹는 음식 문화

㉢ 남아메리카의 고산지대 : 감자와 옥수수를 먹는 음식 문화

③ 주거

㉠ 열대기후지역 : 고상가옥, 경사가 급한 지붕

㉡ 건조기후지역 : 흙벽돌집, 평평한 지붕

㉢ 냉대기후지역 : 통나무집

3) 인문환경 : 종교, 산업 등의 인문환경은 문화권 형성에 영향을 줌

① 종교

㉠ 이슬람 문화권 : 모스크 건축양식, 돼지고기 금식, 할랄 산업 발달 등

㉡ 힌두교 문화권 : 쇠고기 금식, 신분제, 갠지스 강의 종교의식 등

㉢ 크리스트교 문화권 : 성당, 교회와 십자가 등

㉣ 불교 문화권 : 사원과 탑, 불상 등

② 산업 : 농경 문화권, 유목 문화권 등

(2) 다양한 문화권의 특징

1) **동부아시아 지역** : 유교와 불교문화 발달, 젓가락 사용, 한자사용, 벼농사 (한국, 중국, 일본)

2) **동남아시아 지역** : 중국 · 인도 · 이슬람 문화 혼재 → 불교, 이슬람교, 크리스트교 등 종교 다양, 세계적인 벼농사지역, 플랜테이션 활발 (베트남, 태국, 인도네시아 등)

3) **남부아시아 지역** : 잦은 외세의 영향으로 민족, 언어, 종교가 다양하게 분포, 힌두교와 불교, 이슬람교의 혼재, 카스트제도(인도)

4) **북서부유럽 지역** : 게르만족과 개신교 중심, 산업혁명 발상지, 서안 해양성기후, 혼합농업과 낙농업 발달(영국, 프랑스, 독일 등)

5) **남부유럽 지역** : 라틴족과 가톨릭교 중심, 지중해성 기후, 수목농업, 관광업 발달 (이탈리아, 그리스, 스페인 등)

6) **동부유럽 지역** : 슬라브족과 그리스 정교 중심, 농업중심

7) **건조문화 지역** : 이슬람교 중심, 아랍어, 유목과 오아시스 농업, 석유개발 (서남아시아, 북부아프리카, 중앙아시아 등)

8) **아프리카 지역** : 유럽 식민 지배로 종족과 국경 불일치(잦은 분쟁), 종교와 언어 혼재, 원시문화 존재, 이동식 화전, 플랜테이션 발달

9) **앵글로아메리카 지역** : 영어 사용, 개신교, 세계 경제의 중심, 세계적인 농축산물 수출 지역(미국, 캐나다)

10) **라틴아메리카 지역** : 에스파냐, 포르투갈의 식민지, 가톨릭 중심, 혼혈민족(인종), 잉카와 마야문명(브라질, 멕시코, 아르헨티나 등)

11) **오세아니아 지역** : 깨끗한 환경, 영어, 개신교, 상업적 농목업, 어보리진, 마오리족(호주, 뉴질랜드 등)

12) **북극 지역** : 순록 유목, 수렵 · 어로 생활, 이누이트 족 등

세계의 문화권

02. 문화 변동과 전통 문화의 창조적 계승

(1) 문화 변동

1) **의미** : 새로운 문화 요소가 등장하거나 다른 문화와의 접촉을 통해 문화가 변화하는 현상

2) **변동 요인**

① 내재적 요인 : 발명(1차 발명, 2차 발명), 발견

② 외재적 요인 : 타문화와 교류, 접촉하면서 새 문화 요소가 전달되어 정착하는 문화전파

㉠ 직접 전파 : 사람 간의 직접적인 접촉에 의한 전파
예 문익점의 목화씨, 담징의 종이와 먹 일본 전파
㉡ 간접 전파 : 인쇄물, TV, 인터넷 등의 매개물에 의한 전파 예 한류열풍
㉢ 자극 전파 : 타문화 전파 + 발명
예 한자에 자극 받아 이두 발명, 알파벳에 자극 받아 체로키문자 발명

3) 문화접변의 양상

문화접변의 의미	다른 문화체계가 접촉을 하면서 변동이 일어나는 것 문화접변 결과 문화동화, 문화병존, 문화융합으로 나타남
문화동화 (A+B=B)	① 의미 : 외부 문화요소에 기존의 문화요소가 완전히 흡수되어 소멸 ② 사례 : 아프리카 원주민이 기독교와 이슬람을 믿는 모습
문화병존 (A+B=A,B)	① 의미 : 기존의 문화와 전파된 문화가 각자 정체성 유지하며 공존 ② 사례 : 한의학과 서양의학의 공존
문화융합 (A+B=C)	① 의미 : 기존 문화와 전파된 문화가 결합하여 새로운 문화가 만들어짐 ② 사례 : 간다라 문화(그리스 + 불교), 밥버거, 돌침대, 과달루페 성모상(가톨릭교 + 멕시코 토착문화)

(2) 전통문화의 의의와 계승

1) 전통문화의 의미와 의의

① 의미 : 과거에 형성되어 전승을 통해 오늘날까지 영향을 미치고 있는 고유한 생활 양식 예 한글, 김치, 불고기, 한복, 세시풍속
② 의의 : 과거와 현재를 연결, 사회 유지와 통합에 이바지, 고유한 문화 정체성의 바탕, 세계 문화의 다양성 증진

2) 전통문화의 창조적 계승

① 의미 : 전통문화의 정체성을 유지하면서 현실적 여건에 맞게 재해석 또는 재창조하면서 계승하는 것
② 방안 : 전통문화를 재해석하고 재평가함, 외래문화를 비판적으로 수용

03. 문화 상대주의와 보편 윤리적 성찰

(1) 문화적 차이와 문화의 다양성

1) **문화적 차이가 나타나는 이유** : 서로 다른 자연환경, 인문환경 때문에

2) **문화 다양성** : 그 지역의 환경의 차이로 문화적 다양성이 만들어짐

(2) 문화를 이해하는 태도

긍정적	문화 상대주의	① 의미 : 다른 사회의 문화는 그 사회의 입장에서 이해해야 함 ② 특징 : 모든 문화는 나름의 가치 존재, 우열 없음, 문화의 특수성 인정, 역지사지 ③ 장점 : 갈등 방지, 문화의 다양성 보존
부정적	자문화 중심주의	① 의미 : 자기 문화는 우월, 다른 문화는 열등 ② 장점 : 자문화에 대한 자부심을 통해 사회 통합에 기여 ③ 단점 : 국수주의, 문화제국주의 ④ 사례 : 중국인의 중화사상, 흥선대원군의 통상수교거부, 나치즘
	문화 사대주의	① 의미 : 다른 문화를 동경, 숭상, 자기문화 비하 ② 장점 : 다른 문화를 쉽게 수용 ③ 단점 : 자기 문화의 주체성과 정체성 상실 ④ 사례 : 조선시대 선비들의 중화사상, 혼일강리역대국도지도
	극단적 문화 상대주의	① 의미 : 보편적인 가치를 무시하는 행위까지도 인정하자는 주장 ② 문제점 : 인권유린, 문화의 질적 발전 저해, 타문화에 무관심 ③ 사례 : 인도의 순장(사티)제도, 이슬람의 명예살인 문제

(3) 문화에 대한 보편 윤리의 성찰

1) **보편 윤리** : 시대와 사회를 초월하여 모든 사람이 존중하고 따라야 할 행위의 원칙

예 인간의 존엄성, 생명존중, 자유와 평등, 평화와 정의 등

2) **보편 윤리의 필요성**

① 극단적 문화 상대주의는 인류문화 발전에 방해

② 보편 윤리를 통해 자문화와 타문화를 제대로 성찰 가능

3) **보편 윤리의 성찰 방법** : 우리 문화와 다른 문화를 보편적 기준으로 비교해 어긋남이 있는지 성찰

04. 다문화 사회와 문화적 다양성의 존중

(1) 다문화 사회의 이해

1) 다문화 사회의 의미와 원인

① 의미 : 다양한 인종, 민족, 종교, 문화를 가진 사람들이 함께 어우러져 살아가는 사회

② 원인 : 교통과 통신기술의 발달, 다른 문화권에 속한 사람들 간의 접촉 증가

예 국제결혼 이민자, 외국인 근로자, 유학생, 북한이탈주민 등

2) 다문화 사회의 영향

① 긍정적 영향

㉠ 노동력 부족 문제 해소에 기여함

㉡ 문화 선택의 기회가 확대

㉢ 문화 발전 촉진

② 부정적 영향

㉠ 문화적 차이에 관한 이해 부족으로 갈등 발생

㉡ 일자리 부족

㉢ 외국인에 대한 편견과 차별발생, 외국인 범죄 증가

(2) 다문화 사회의 갈등 해결 방안과 문화 다양성

1) 다문화 정책의 종류

① 용광로 이론 : 이주민들의 문화적 특성 등을 인정하지 않고 지배적 문화에 완전 동화시킴

② 샐러드 볼 이론 : 모든 문화가 자기만의 특성을 유지하면서 기존 문화와 공존할 수 있다고 봄

2) **우리나라의 다문화 정책**

① 다문화 초기 : 용광로 이론, 우리문화에 일방적인 동화시도

② 최근 : 샐러드 볼 이론, 문화의 다양성 인정

3) **다문화 사회의 갈등 해결 방안**

① 개인적 차원 : 개방적 자세, 타문화에 대한 편견이나 고정관념 버림, 관용과 문화 상대주의적 태도 함양 → 세계 시민 의식 필요

② 사회적 차원 : 다문화 교육 강화, 법과 제도적 지원 확대(다문화 가족 지원법 등)

1. 문화권 형성에 영향을 주는 요인들 중 성격이 다른 것은?

① 기후 ② 산업
③ 종교 ④ 학문

2. 기후별 가옥을 바르게 연결한 것은?

① 열대지방 : 이글루 ② 사막지역 : 통나무집
③ 스텝기후 : 게르 ④ 냉대기후 : 흙집, 돌집

3. 이슬람교에 대한 설명으로 부적절한 것은?

① 유일신인 알라를 믿는다.
② 라마단과 성지순례의 풍습이 있다.
③ 메카를 향해 절을 하루에 몇차례씩 한다.
④ 소를 신성시해서 소를 먹지 않는다.

4. 힌두교와 불교의 발상지이면서 신분제도가 남아있는 문화권은?

① 동부아시아 문화권 ② 동남아시아 문화권
③ 서남아시아 문화권 ④ 남부아시아 문화권

5. 유럽 문화권의 특징에 해당하지 않는 것은?

① 인도유럽어족에 해당하는 언어를 사용한다.
② 크리스트교를 주로 믿는다.
③ 원주민인 마오리족과 어보리진이 존재한다.
④ 그리스, 로마 문화의 영향이 많이 남아있다.

6. 문화전파의 종류가 바르게 연결된 것은?

① 실크로드를 통한 교역으로 문화 전파 – 간접전파
② 문익점에 의한 목화씨 도입 – 직접전파
③ 한자의 영향을 받아 만들어진 신라의 이두 – 직접전파
④ 세계적인 한류열풍 – 자극전파

7. 아메리카 원주민의 문화가 유럽문화에 의해 흡수되어 버린 현상은?

① 문화병존
② 문화동화
③ 문화융합
④ 문화공존

8. 다음 사진은 겉모습은 한옥과 불교사찰 양식을 띠고 있지만 내부 구조는 성당양식을 도입한 성공회 강화 성당이다. 이와 같은 문화변동의 양식은?

① 문화융합
② 문화동화
③ 문화공존
④ 문화병존

9. 다음 중 문화변동의 원인 중 성격이 <u>다른</u> 것은?

① 세종대왕이 한글을 창제했다.
② 갈릴레오가 망원경을 최초로 만들었다.
③ 콜럼버스가 신대륙을 찾아냈다.
④ 에디슨이 최초로 전구를 만들어 냈다.

10. (　) 안에 알맞은 말을 순서대로 나열한 것은?

전통문화의 (㉠)을 유지하면서 시대적 변화에 맞게 재구성 및 (㉡)하여 계승하는 것이 필요하다.

① ㉠-정체성, ㉡-전통고수
② ㉠-보편성, ㉡-복고
③ ㉠-정체성, ㉡-재창조
④ ㉠-보편성, ㉡-파괴

11. 〈보기〉의 사례에서 알 수 있는 문화이해의 태도는?

〈보기〉

티벳에서의 전통적인 장례법으로 조장(鳥葬)이 시행되는데 조장은 시신을 새나 들짐승들에게 먹게 만드는 것이다. 이런 장례풍습은 티벳의 기후가 건조하고 춥기 때문에 화장에 쓸 나무가 충분하지 않고 시신을 매장해도 잘 썩지 않기 때문이라고 한다.

① 문화 상대주의　　② 자문화 중심주의
③ 문화 사대주의　　④ 문화 절대주의

12. 다음 지도는 조선 중기에 만들어진 천하도이다. 천하도에서 중심을 차지하는 지역은 중국이다. 이와 같은 입장의 문화 인식의 사례로 적당한 것은?

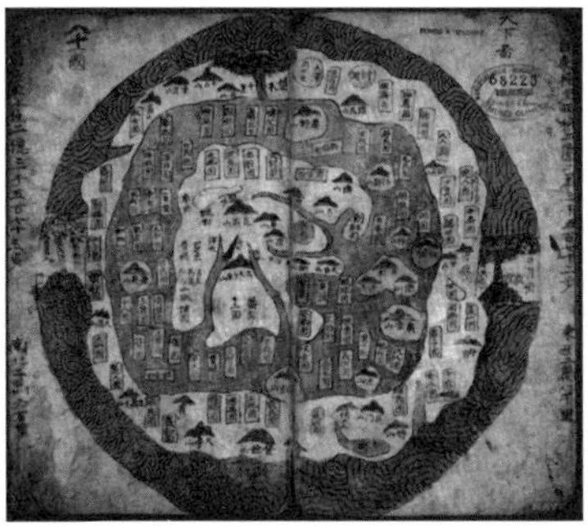

① 갑 : 모든 문화는 나름의 가치를 가지고 있어서 함부로 평가해서는 안돼.
② 을 : 우리 한류문화를 능가할 문화는 앞으로도 나올 수 없어.
③ 병 : 역시 한국디자인은 프랑스디자인을 절대 따라갈 수가 없어.
④ 정 : 한국의 불고기는 세계 음식의 절대적 기준이 되고 있어.

13. 다음 사례에서 필요한 태도는?

인도의 '사티제도'는 남편이 사망할 경우 아내를 함께 화장해서 묻는 풍습으로 1987년까지 이루어졌다.

① 자문화 중심주의　　② 문화 상대주의
③ 문화 사대주의　　④ 문화 절대주의

14. 시대와 장소를 초월하여 모든 사람이 존중하고 따라야 할 윤리원칙은?

① 극단적 문화 상대주의　② 윤리 상대주의
③ 문화 사대주의　④ 보편적 윤리

15. 다음 중 극단적 문화 상대주의의 사례가 아닌 것은?

① 옛날 중국 여자아이들의 발을 작게 만들었던 풍습
② 인도에서 남편이 사망하면 부인을 생매장하던 풍습
③ 한국의 젓가락이 중국보다 짧은 이유는 반찬문화와 관련 있다는 주장
④ 일부 이슬람권에서 남편이 부인의 부정을 의심해 살해하던 풍습

16. 다음 표와 관련하여 잘못 설명한 것은?

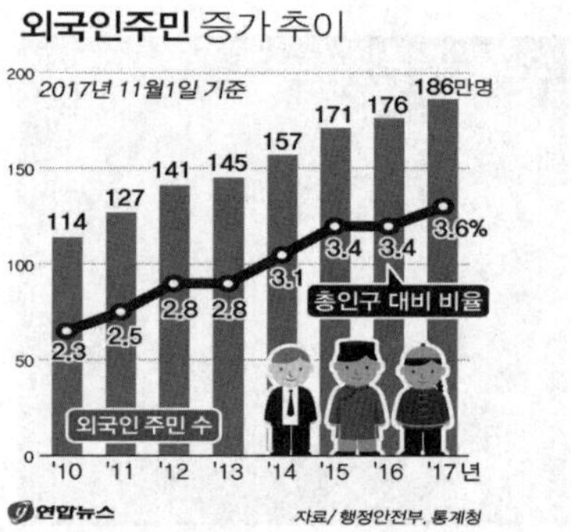

① 국내 거주 외국인의 수는 꾸준히 증가하고 있다.
② 외국인들로 인한 범죄도 증가할 가능성이 높아지고 있다.
③ 외국인 여행객의 증가가 가장 중요한 증가 원인이다.
④ 문화의 다양성이 확대되는 계기가 늘어날 것으로 보인다.

17. 다음 (　) 안에 알맞은 다문화 정책은?

> 캐나다는 세계 최초로 (　　　　)을(를) 국가정책으로 도입하여 각각의 인종이나 민족이 자신의 특성을 유지하면서 평등하게 캐나다 사회에 참여하도록 하였다.

① 용광로 이론　② 문화 동화주의
③ 문화 강제주의　④ 샐러드 볼 이론

18. 다음 내용에서 나타나는 다문화 정책은?

> 프랑스 학교는 이민자 자녀들이 프랑스 사회로 자연스럽게 동화될 수 있는 가장 중요한 장소이다. 프랑스 학교에는 특별학급이 있어 외국인 이주민 자녀가 프랑스어를 최대한 빨리 습득한 후 일반학급에 편입되도록 노력하고 있다.

① 용광로 이론
② 샐러드 볼 이론
③ 다문화주의 이론
④ 문화 사대주의 이론

19. 다음 글을 주장한 사람이 찬성할 정책을 바르게 고른 것은?

> 한 사회라는 용광로에 다양한 문화요소를 넣어 하나의 문화를 만들어 내야 한다. 따라서 외국인들이 우리나라 문화에 동화될 수 있는 다양한 정책이 필요하다.

① 이민자들을 주류문화에 적응할 수 있도록 강력히 교육시킨다.
② 이민자 문화 페스티벌과 같은 문화교류의 장을 적극적으로 마련한다.
③ 외국인들의 종교와 문화를 인정하고 제도적으로 보장한다.
④ 다문화 교육을 적극적으로 시행해서 외국인에 대한 차별을 감소시킨다.

20. 다음 사례에 필요한 태도는?

> 탈북자 A씨는 취업을 시도하려다 북한에서 왔다는 사실을 얘기하자마자 불합격 당하는 일을 여러 번 당했다. 이후 A씨는 탈북자라는 사실을 숨기고 조선족동포라고 자신을 소개하고 있다.

① 적당한 편견은 복지사회 건설에 도움이 된다.
② 탈북자들은 우리사회에 기여한 부분이 적기 때문에 특별히 대우해서는 안된다.
③ 개인적인 상황이기 때문에 국가적 차원의 대책은 필요하지 않다.
④ 인간의 존엄성과 인권에 기반해서 차이를 근거로 차별해서는 안된다.

08. 세계화와 평화

08 세계화와 평화

01. 세계화의 양상과 문제의 해결

(1) 세계화와 지역화

1) 세계화와 지역화

① 세계화

㉠ 의미 : 국제 사회의 상호 의존성 증가로 세계가 하나로 통합되는 현상

㉡ 영향 : 동질적인 문화 경관의 확산, 국가 간 경계를 넘나드는 문화, 자본, 정보 등의 증가, 세계적인 영향력 확산

② 지역화 : 지역의 생활 양식이나 문화 등이 세계적 차원에서 가치를 지니게 되는 현상

2) 세계화와 지역화의 확산 배경

① 교통과 통신의 발달 : 이동시간과 비용 감소, 물리적 거리제한 감소, 이동범위 확대

② 지역 간 상호 의존성의 증가 : 생활권 확대, 지역 간 상호 작용 증가

③ 국제 사회의 변화

· WTO의 출범으로 상품, 서비스의 자유로운 이동 확대

· 국제적 분업(공간적 분업)이 확대

(2) 세계화에 따른 공간적 경제적 변화

1) 세계도시

① 의미 : 경계를 넘어 세계적인 중심지 역할을 수행하는 도시(뉴욕, 런던, 도쿄 등)

② 등장배경 : 교통, 통신의 발달, 각 국가의 경제 개방 및 자유무역 확대, 다국적 기업 등장, 자본 및 금융의 국제화 등

③ 특징 : 생산자 서비스업 발달, 국제 정치의 중심지, 정보통신 네트워크발달, 최신 교통체계 발달 등

2) 다국적 기업

① 의미 : 국경을 넘어 세계적으로 생산과 판매 활동을 하는 기업

② 등장배경 : 교통과 통신의 발달로 국가 간 상호 교류 및 의존성 강화, 세계무역기구(WTO)의 등장과 자유무역협정(FTA)의 확대 등으로 인한 경제 활동의 세계화

③ 특징

· 공간적 분리 : 본사는 본국의 대도시, 연구소는 선진국, 생산 공장은 개발도상국(저렴한 노동력)에 입지

④ 영향

㉠ 긍정적 : 더 많은 이익창출, 투자대상국은 일자리창출과 기술이전의 기회

㉡ 부정적 : 본국의 실업률 증가, 투자대상국은 경쟁력 낮은 산업의 쇠퇴, 다국적 기업에 대한 의존도 심화

(3) 세계화에 따른 문제점과 해결 방안

1) 국가 간 빈부격차

① 내용 : 선진국과 개발도상국 간의 소득 격차 확대

② 해결 방안 : 개발도상국의 경제적 자립을 위해 국제기구의 지원, 선진국의 투자와 기술이전, 개발도상국 간의 협력 추진, 공정무역의 확대 등

2) 문화의 획일화

① 내용 : 국가 간 문화교류가 증가하면서 문화가 비슷해짐

② 해결 방안 : 자국 문화의 정체성을 유지하며 외래문화 능동적 수용

3) 보편윤리와 특수윤리 간의 갈등

① 내용 : 인간 존엄성, 인권 등의 보편윤리가 강조되면서 특수윤리와 충돌이 발생

② 해결 방안 : 보편윤리를 존중하며 각 사회의 특수윤리를 성찰

02. 국제 사회의 모습과 평화의 중요성

(1) 국제 사회의 성격과 행위 주체의 역할

1) 국제 사회의 성격

① 상호 의존 : 세계 각국은 많은 부분에서 밀접한 관계를 맺고 상호 의존하고 있음

② 경쟁, 갈등, 분쟁

㉠ 자국 이익을 우선적으로 추구하는 과정에서 국제 갈등 발생

㉡ 자국의 이익, 민족, 인종, 종교, 영토, 역사 문제로 갈등 발생

③ 협력증가

㉠ 국제 의존이 심해지고 한 국가만의 노력으로 해결할 수 없는 문제가 증가하면서 국제 협력도 증가추세

㉡ 사례 : 국제연합을 통한 평화유지, 국제스포츠대회, 환경관련 조약

2) 국제 사회의 행위 주체와 역할

① 국가

㉠ 의미 : 국제 사회를 구성하는 가장 기본적인 행위 주체, 독립적 주권행사

㉡ 특징 : 공식적인 활동, 자국의 이익과 자국민 보호를 위해 외교 활동을 함

② 정부 간 국제기구

㉠ 의미 : 각국 정부를 회원으로 하는 국제 사회의 행위주체

㉡ 특징 : 국가들 사이의 이해관계 조정, 국가 간 분쟁 중재, 국제 규범 정립을 통해 국제관계에 영향을 미침

㉢ 종류 : UN, EU, OECD 등

③ 국제 비정부 기구(NGO)

㉠ 의미 : 개인이나 민간단체를 회원으로 하는 국제 사회의 행위 주체

㉡ 특징 : 국제적 연대를 통해 범세계적인 문제를 제기하고 공동의 노력을 이끌어내는 데 기여함

㉢ 종류 : 그린피스, 국제 사면 위원회, 국경없는 의사회 등

④ 기타 : 다국적 기업, 지방정부, 전직 국가 원수나 노벨상 수상자처럼 국제적 영향력이 강한 개인 등

(2) 평화의 의미와 중요성

1) 평화의 의미

① 소극적 평화 : 전쟁, 테러와 같은 물리적 폭력이 없는 상태

→ 빈곤, 인권 침해 같은 낮은 삶의 질에 의한 고통을 설명하기 어려움

② 적극적 평화 : 직접적 폭력의 근본 원인인 구조적 폭력이 해소된 상태

→ 구조적 폭력의 문제가 해소되어 인류가 경제적 빈곤 차이, 정치, 군사적 영향력의 차이가 없는 평등하고 자유로운 상태를 의미함

2) 평화의 중요성 : 인류 안전과 생존의 바탕, 인류의 번영 도모, 국제 정의 실현 등을 위해 필요

03. 남북 분단 및 동아시아 갈등과 국제 평화

(1) 남북 분단의 평화적 해결

1) 남북 분단의 배경

① 국제적 배경 : 냉전 체제 하에서 미국과 소련이 한반도를 분할 점령함

② 국내적 배경 : 민족 내부의 응집력과 통일에 대한 역량 부족

2) 통일의 필요성

① 인도주의적 요청 : 이산가족과 실향민 문제 해결의 필요성

② 민족동질성 회복 : 다른 체제와 이념 속에서 공통의 문화가 사라지고 있음

③ 민족의 경제적 발전과 번영 : 분단으로 발생하는 소모적 비용을 절감, 남한의 자본과 기술력 + 북한의 노동력 및 자원 = 경제발전

④ 세계 평화에 기여 : 통일은 동아시아를 넘어서 세계 평화 정착에 기여할 수 있음

3) 통일을 위한 노력 : 남북한 간 지속적인 평화적 교류와 협력 추진, 통일에 우호적인 국제 환경 조성 노력

(2) 동아시아의 역사 갈등

1) 동아시아 역사 갈등

① 일본의 역사 왜곡 : 독도에 대한 부당한 영유권 주장, 일본 교과서에 식민지 지배와 침략 전쟁을 정당화함, 일본군 위안부 문제, 야스쿠니 신사 참배 문제 등

② 중국의 동북공정 : 현재의 영토를 확고히 하기 위해 한반도 북부와 만주에서 활동했던 고조선, 고구려, 발해 등의 역사를 모두 중국의 역사라고 주장

2) 영토분쟁

① 쿠릴열도 남부 4개 섬(북방 4도) : 러시아의 실효지배에 대해 일본이 반환요구 중

② 센카쿠열도(중국명 '댜오위다오') : 일본이 실효지배 중, 중국과 대만이 자국영토 주장

③ 시사군도(파라셀제도) : 중국의 영유권 주장에 베트남이 반발

④ 난사군도(스프래틀리 군도) : 중국의 영유권 주장에 베트남, 말레이시아, 브루나이, 필리핀, 대만의 영유권 주장 충돌

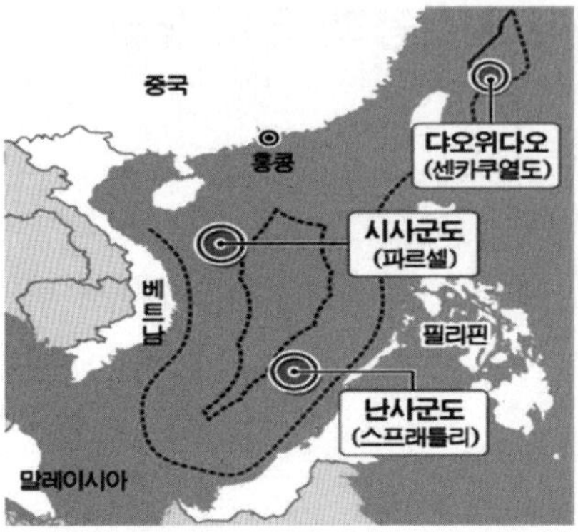

남중국해의 영토 분쟁 지역 - 시사군도, 난사군도, 센카쿠열도

3) **동아시아 역사 갈등 해결을 위한 노력** : 공동 역사 연구, 민간 교류 확대

(3) 국제 평화에 기여하는 대한민국

1) 세계 속의 우리나라

① 지정학적 측면 : 유라시아 대륙과 태평양을 연결하는 지리적 요충지에 위치
② 정치, 경제적 측면 : 각종 국제기구에서 주도적인 활동(UN, OECD, APEC 등)
③ 문화적 측면 : 유네스코 세계 문화유산으로 등재, 대중문화의 한류 열풍 확산

2) 국제 평화를 위한 노력

① 국가적 차원
㉠ 분단 극복을 통한 동아시아 지역의 긴장 완화
㉡ 해외 원조를 통해 국제 사회 평화를 위해 이바지
㉢ 분쟁, 테러, 전쟁 등에 평화 유지군 파견 등 적극적인 평화 유지 활동
㉣ 친환경 산업 발전 및 탄소 배출량 감축 등으로 지구 온난화 방지와 환경 보호에 적극 동참
② 개인, 민간단체 차원 : 국제 비정부 기구에 참여하여 반전 및 평화 운동을 펼치는 등의 다양한 활동 전개

통일관련 비용
① 분단비용 : 분단 상태에 따라 발생하는 군사비, 체제유지비 등
② 평화비용 : 북한과의 교류와 협력비용으로 분단비용과 통일비용을 줄일 수 있는 비용
③ 통일비용 : 통일 후 남북 간의 격차를 줄이기 위한 재건비용

1. 지역화 전략으로 맞지 않는 것은?

① 지역 축제
② 지리적 표시제
③ 장소 마케팅
④ 수도권 중점 개발 계획

2. 다음 지역의 사례처럼 상품의 특성이 생산지의 지리적 특성을 반영한 경우 이를 인정해 주는 제도는?

보성 녹차, 횡성 한우, 상주 곶감

① 지역 브랜드 ② 지리적 표시제
③ 지역 축제 ④ 장소 마케팅

3. 다국적 기업에 대한 설명으로 적절하지 않은 것은?

① 다국적 기업의 본사는 주로 본국의 대도시에 위치하는 편이다.
② 생산 공장은 저렴한 노동력이 중요하니 선진국 지방에 위치한다.
③ 기업 이윤의 극대화를 위해 본사, 연구소, 공장 등을 공간적으로 분리시킨다.
④ 연구소는 주로 선진국의 대학 및 연구시설이 밀집한 곳에 입지하고 있다.

4. 국가 간의 빈부격차를 해결하기 위한 내용으로 잘못된 것은?

① 선진국의 유해폐기물을 개도국에게 비용을 지불하고 매립한다.
② 국제기구의 공적 개발 원조를 통해 해결한다.
③ 공정무역을 통해 불평등한 무역구조문제를 해결한다.
④ 공정여행을 통해 현지인들에게 수익이 돌아가는 여행을 한다.

5. 문화의 획일화로 인한 문제점으로 보기 <u>어려운</u> 것은?

① 지역문화의 고유성이 약화된다.
② 전통문화의 정체성이 강화될 수 있다.
③ 원주민들의 문화가 소멸될 수 있다.
④ 약소국의 문화가 강대국문화에 의해 흡수될 수 있다.

6. 다음과 같은 사례에서 이를 비판할 수 있는 입장에 해당하는 것은?

> 파키스탄에서는 여성의 성적인 표현이 금기시되어있다. 그런데 한 여성이 성적인 내용의 발언을 SNS에 올리자 그 여성의 오빠가 가족의 명예를 훼손했다며 동생을 살해하는 일이 벌어졌다. 이에 대해 국제 사회에서는 비난 여론이 나타났다.

① 생명의 존중이라는 가치는 지역마다 나라마다 모두 다르기 때문에 비판 가능하다.
② 표현의 자유는 문화권에 따라 제한당하는 것이 당연하기 때문에 비판 가능하다.
③ 인간의 생명은 보편적 윤리에 해당하기 때문에 비판 가능하다.
④ 모든 윤리적 판단은 나라마다 다르기 때문에 비판 가능하다.

7. 다음 사례에서 발생하는 문제를 해결하기 위한 노력으로 적절한 것은?

> 지구촌에서 소수민족의 언어가 급속하게 사라지고 있다. 인터넷의 영향으로 영어가 세계 공용어처럼 쓰여 소수 민족의 언어나 방언 등은 사용인구가 급속하게 줄어들고 있기 때문이다.

① 세계적인 흐름이기 때문에 어쩔 수 없는 현상이다.
② 소수민족의 언어를 체계화하는 연구를 진행한다.
③ 언어도 수준 높은 언어가 더 많이 사용되는 것은 당연하다.
④ 인터넷을 금지시키고 영어사용자들을 처벌한다.

8. 다음 사례에 대한 설명으로 옳지 않은 것은?

> 중국의 OO시에 있던 S사 휴대폰공장이 최근 문을 닫았다. 중국내 점유율이 중국 회사의 저가 휴대폰에게 밀려 떨어지고 임금이 많이 올라 생산효율이 떨어져 공장을 폐쇄하고 다른 나라로 공장을 옮기게 되었다. 그러자 OO시에는 최근 많은 변화가 나타나게 되었다.

① 지역 내 상업시설 대부분이 타격을 입게 되었다.
② OO시 실직사태가 발생하였다.
③ 지역 내 인구가 급증하였다.
④ 부품을 공급하던 중소기업들도 연쇄적으로 도산하게 되었다.

9. 다음 단어들의 공통적인 주제는?

> 평화, 인권, 평등, 인간의 존엄성, 명예살인, 마흐람제도

① 빈부의 격차
② 다국적 기업의 활동
③ 문화의 획일화
④ 보편윤리와 특수윤리

10. 공정무역에 대한 설명으로 잘못된 것은?

① 선진국의 이익이 더욱 더 증가하게 된다.
② 개발도상국에서 생산된 제품이 주요 거래 대상이다.
③ 생산자 입장에서는 안정적인 생활안정에 도움이 된다.
④ 상품구매를 통해 생산자를 도울 수 있는 방법이다.

11. 국제사회의 가장 기본적인 행위주체는?

① 국제연합
② 국가
③ 민족
④ 비정부 기구

12. 다음 기관들에 대한 설명으로 잘못된 것은?

국제사면위원회(국제엠네스티), 국경없는 의사회(MSF), 그린피스

① 인류의 공익을 위해 활동한다.
② 개인이나 민간단체 주도로 자발적으로 형성된다.
③ 유엔 산하 기관으로 국제적인 강제력을 행사하고 있다.
④ 오늘날 점차 그 역할이 확대되고 있다.

13. 카슈미르 지역의 분쟁에 대해서 잘못 말한 것은?

① 인도와 파키스탄의 갈등에서 촉발되었다.
② 카슈미르 지역 주민들의 상당부분이 이슬람교도이다.
③ 석유자원의 소유권과 관련된 분쟁이다.
④ 이슬람과 힌두세력 간의 대립이다.

14. 다음 〈보기〉에서 말하고 싶은 통일의 필요성은?

〈보기〉

통일 후 인구는 세계 12위 수준으로 8천만명 정도에 육박하고, 국내총생산은 5조 달러 정도로 세계 10위권에 근접할 가능성이 높다. 1인당 국내총생산은 8만달러 정도 수준으로 세계 7위권이 예상된다.

① 실향민들의 아픔을 해소할 수 있다.
② 남북의 이질성을 극복하고 동질성을 회복할 수 있다.
③ 주변지역의 군사적 충돌가능성을 줄일 수 있다.
④ 경제적인 발전의 계기가 될 수 있다.

15. 다음 중 평화의 의미가 다른 것은?

① 전쟁이 몇 년째 발생하고 있지 않다.
② 종교 개혁을 통해 모든 종교의 자유가 보장되고 있다.
③ 테러가 없으니 정말 살 것 같다.
④ 내전이 멈추니 난민들이 돌아오고 있다.

16. 다음 중 분단과 관련된 설명으로 적당하지 않은 것은?

① 해방과 동시에 휴전선을 기준으로 북측에는 소련군이, 남측에는 미군이 주둔하였다.
② 분단의 내부적 원인으로는 민족 간의 갈등과 능력부족을 들 수 있다.
③ 분단의 외부적 원인으로는 미국과 소련의 냉전의 시작을 들 수 있다.
④ 신탁통치에 대한 입장의 차이가 민족주의와 사회주의 간의 대립을 불러왔다.

17. 통일의 필요성으로 잘못된 것은?

① 안보관련 비용을 절감할 수 있기 때문에
② 이산가족의 아픔을 해결할 수 있기 때문에
③ 동아시아 패권을 장악하기 위해서
④ 동북아시아에 평화를 가져올 수 있기 때문에

18. 일본과의 역사인식문제에 대한 설명으로 잘못된 것은?

① 일본이 고조선과 고구려, 발해 역사를 자국역사로 바꾸려고 시도하고 있다.
② 일본이 위안부(성노예) 문제를 축소, 왜곡하고 있다.
③ 일본각료들은 전범들이 합사되어 있는 야스쿠니신사 참배를 강행하고 있다.
④ 일본이 역사적 근거를 들어 독도를 자국의 영토로 주장하고 있다.

19. 세계적인 다양한 문제들을 해결하기 위한 노력으로 옳지 않은 것은?

① 독자적인 군사력을 확보해 문제국가에 적극적으로 군사력을 개입시킨다.
② 저개발국가에 기술적, 재정적 지원을 한다.
③ 재난을 입은 국가들에게 긴급구호물자를 제공한다.
④ 분쟁지역에 국제연합 평화유지군을 파견한다.

20. 다음 동아시아 분쟁의 관련국들이 잘못 짝지어진 것은?

① 쿠릴열도 : 러시아와 일본
② 센카쿠열도 : 일본과 베트남
③ 시사군도 : 중국과 베트남
④ 난사군도 : 중국과 다수 동남아국가들

09. 미래와 지속가능한 삶

09 미래와 지속가능한 삶

01. 세계 인구와 인구 문제

(1) 세계의 인구

1) 세계의 인구 변화와 인구 분포

① 세계의 인구 변화

㉠ 산업화 이후 생활수준의 향상, 의학 기술 발달 및 위생 시설 개선으로 인한 평균 수명의 연장으로 급격히 증가

㉡ 선진국 : 18C ~ 20C 초까지 인구가 빠르게 증가, 1960년대 이후 출생률 감소

㉢ 개발도상국 : 2차 대전 후 산업화로 인구 증가, 높은 인구 증가율

2) 인구 분포의 요인

① 인구 분포의 자연적 요인

· 인구 밀집 지역 : 북반구 온대 기후의 하천 및 해안 지역

· 인구 희박 지역 : 건조기후와 한대기후 지역, 산악 지대

② 인구 분포의 사회 · 경제적 요인 : 농업 발달 지역(식량 확보), 공업 발달 지역(일자리 확보), 임금 수준이 높은 선진국 등에 인구 집중

3) 선진국과 개발도상국의 인구 구조와 세계의 인구 이동

① 선진국과 개발도상국의 인구 구조 비교

구분	선진국	개발도상국
출생률	낮다	높다
유소년층 인구 비중	낮다	높다
노년층 인구 비중	높다	낮다
평균 기대 수명	길다	짧다
중위 연령	높다	낮다

② 세계의 인구 이동

㉠ 경제적 이동 : 개발도상국에서 임금 수준이 높고 일자리가 많은 선진국으로 이동, 최근경향

㉡ 정치적 이동 : 전쟁이나 분쟁 등을 피하기 위한 이동

예 시리아, 아프가니스탄 난민이동

㉢ 환경적 이동 : 사막화, 지구온난화로 인한 해수면 상승 등 환경 재앙을 피해 이동

(2) 세계의 인구 문제와 해결 방안

1) 세계의 인구 문제

① 인구 과잉문제(주로 개발도상국)

㉠ 개발도상국의 대도시 인구집중 문제, 기반 시설 부족

㉡ 사망률 감소와 높은 출생률에 따른 인구 급증 → 식량 및 자원 부족 문제 발생

② 저출산, 고령화 문제(주로 선진국)

저출산	원인 : 여성의 사회 활동 증가, 만혼, 결혼 및 출산에 대한 가치관의 변화 등
	영향 : 노동력 부족, 잠재성장률 하락, 소비 감소로 인한 경기 침체 등
고령화	원인 : 평균 수명 연장, 저출산
	영향 : 노인을 위한 사회적 비용 증가, 세대 간 갈등 문제 발생

2) 인구 이동에 따른 문제

① 인구 유입 국가 : 문화가 서로 다른 이주민과 원거주민 간의 갈등 발생

② 인구 유출 국가 : 노동력 부족, 사회적 분위기 침체 등

3) 인구 문제의 해결 방안

① 선진국

㉠ 저출산 대책 : 출산비용과 육아비용 지원, 보육 시설 확충, 유급 출산 휴가 확대 등

㉡ 고령화 대책 : 노인일자리 확대, 정년 연장, 사회보장제도 정비

② 개발도상국

㉠ 인구과잉문제대책 : 경제발전, 식량증산, 출산억제정책

㉡ 대도시 인구 과밀 문제 대책 : 도시 기반 시설 정비, 촌락의 생활환경 개선

③ 가치관 변화를 통한 인구 문제 해결 : 가족 친화적 가치관 확대, 양성평등 문화 확립, 세대 간 정의 실현

02. 세계의 자원과 지속가능한 발전

(1) 세계의 자원

1) 자원의 의미 : 인간에게 이용가치가 있고 기술적, 경제적으로 개발이 가능한 것

2) 자원의 특성

① 유한성 : 언젠가 자원은 고갈됨 예 석유, 석탄 등

② 가변성 : 시간, 장소, 기술, 경제성의 변화 등으로 자원의 가치가 달라짐
예 내연기관의 개발로 석유는 가장 중요한 자원이 됨

③ 편재성 : 지구상에 고르게 분포되어 있지 않음
예 자원민족주의, 자원의 무기화현상

3) 세계의 자원 소비량 변화 : 인구 증가와 산업발달로 지속적으로 증가(에너지 사용 급속 증가)

4) 주요 에너지 자원의 종류와 특징

자원 종류	역사	특징	이동
석탄	산업혁명 시기 수요 증가	고생대지층, 제철공업용, 발전용 등 산업용으로 주로 이용	사용량 감소와 광범위한 분포로 국제적 이동 적음
석유	내연기관의 발명으로 사용량 증가	신생대지층, 페르시아만에 60% 분포, 가장 사용량이 많은 에너지, OPEC에서 생산량 조절	국제적 이동 많음(사용량이 많고 편재성이 크기 때문)
천연가스	냉동 액화 기술의 발달 → 소비 증가	청정에너지, 가정용과 산업용으로 사용	국제적 이동 증가

5) 자원의 분포와 소비에 따른 문제점

① 국가 간 갈등

㉠ 자원 민족주의의 심화로 자원 보유국과 자원 수입국 간의 분쟁 심화

㉡ 자원 개발권을 둘러싸고 국가 간 영역 분쟁 심화

② 자원 고갈 : 에너지 자원의 소비가 빠르게 증가하면서 자원 고갈 문제가 증가

③ 환경 문제 : 자원의 개발, 이용 과정에서 환경 파괴 → 생태계가 파괴

④ 에너지 소비의 격차 심화 : 에너지 소비 상위 10개국이 전체 화석 에너지 소비량의 50% 이상 차지

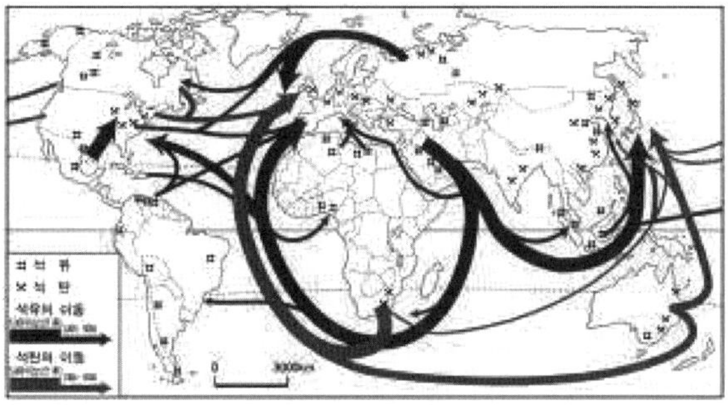

석탄과 석유의 이동

자원민족주의

천연자원은 이를 생산하는 국가의 것이라고 여기고 자원을 무기화하여 자원의 지배권을 확대하려는 움직임을 말한다. 특히 석유자원과 구리, 희토류 등에서 이러한 생각들이 나타나고 있다.

(2) 지속 가능한 발전을 위한 방안과 노력

1) 지속 가능한 발전의 의미 : 미래세대가 그들의 필요를 충족시킬 가능성을 손상시키지 않는 범위에서 현재 세대의 성장을 추구하는 발전

2) 지속 가능한 발전의 구체적인 방안

① 세대 간 형평성 : 다음 세대에 부담주지 않기

② 삶의 질 향상 : 친환경적인 농산물, 사회적 안정, 건강
③ 사회적 통합 : 부의 균등 분배, 정치참여 기회 확보
④ 국제적 책임 : 지구적 차원의 협력

3) 국제적 · 국가적 노력

① 전 지구적 차원의 환경 문제의 경우 국제 사회가 국제 협약을 통해 해결해야 함
② 경제적 측면 : 지속할 수 있고 안전한 에너지 체계 구축을 위해 신재생 에너지의 보급 확대를 위한 제도 실시
③ 사회적 측면 : 사회 계층 간 통합을 위한 사회 취약 계층 지원 제도 실시
④ 환경적 측면 : 기후 변화에 대응하기 위해 온실가스 감축 제도 실시

4) 개인적 노력

① 윤리적 소비 실천 : 사회 정의와 형평성을 위해 지구촌의 구성원으로서 건강한 시민의식을 가짐
② 친환경적인 생활 방식 실천 : 자원 절약 및 물건 재활용, 로컬 푸드 구매하기, 공정 무역 제품 이용하기, 사회적 취약 계층이나 빈곤국 주민 후원하기, 재능을 나누는 봉사 활동에 참여하기 등

03. 미래 지구촌의 모습과 내 삶의 방향

(1) 미래의 예측

1) 미래 예측의 필요성 : 변화를 예측해 미래 사회에 유연하게 대응, 안정적인 발전이 가능

2) 미래 예측의 방법 : 전문가 합의법(델파이 법), 시나리오 법 등

(2) 미래 지구촌의 모습

1) 정치, 경제, 사회적 측면과 환경적 측면에서의 변화 예측

① 정치, 경제, 사회적 측면
㉠ 빈부 격차, 문화적 차이, 영토 분쟁 등의 갈등 심화

ⓛ 자유 무역 확대, 지역무역협정 체결, 국제기구의 활동 증가
ⓒ 특정 직업의 소멸로 인한 실업 문제 발생
ⓓ 사이버 범죄, 사생활 침해 등의 문제 증가

② 환경적 측면

㉠ 환경문제가 전지구적 차원에서 인류의 생존을 위협
㉡ 경제성장과 인구 증가로 인한 자원 소비량의 증가로 이용 가능한 자원과 환경의 범위 축소 → 지속가능한 발전을 위해 전 지구적 차원의 협력 강화 필요
㉢ 멸종 위기의 생물 종 복원, 극단적 지형에도 재배가능한 식용작물 재배

2) 과학 기술 발달과 미래 지구촌의 모습

정보 통신 기술의 발달로 초연결 사회 등장, 개인의 정치참여 증가로 영향력 증가, 교통 · 통신의 발달로 시 · 공간의 제약 감소, 생명공학의 발달로 평균수명 증가, 유전자 조작으로 인해 생명과 인간의 정체성의 혼란 초래

(3) 미래의 삶을 위한 준비

1) **올바른 인성과 가치관의 정립** : 산업화 · 도시화 · 정보화 등으로 공동체 의식이 약해지고 이기주의적 가치관이 확산됨 → 개방적 태도, 관용 등을 바탕으로 올바른 인성과 가치관을 키우기 위해 노력

2) **비판적 사고력 증진** : 사회 현상을 비판적으로 분석하여 현대 사회의 변화 양상을 과학적으로 분석하고 사회 문제 발생의 원인, 배경 등을 명확하게 파악할 수 있어야 함

3) **세계 시민으로서의 공동체 의식 함양** : 지구촌이 하나의 유기체처럼 연결된 공동체로서의 성격이 점차 강해지고 있음 → 세계를 하나의 공동체로 인식하고 세계 시민으로서 나 자신이 지구촌의 구성원임을 자각할 수 있어야 함

4) **개방성과 관용의 정신 지향** : 미래 사회는 문화적 다양성은 물론 개인이 갖는 가치, 신념, 정체성의 다양성이 심화될 것임 → 문화적 차이를 인정하고 다양성을 존중하는 태도 필요

단원확인문제

[1~2] 다음 인구변천모형을 보고 문제를 풀어 보시오.

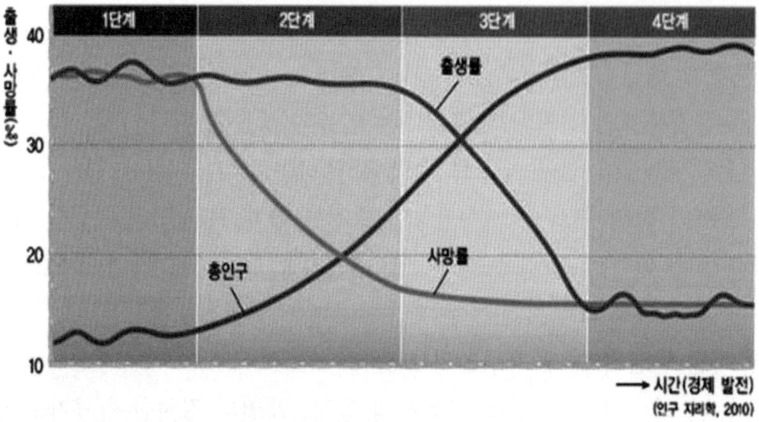

1. 위의 인구변천모형에서 각 단계에 대한 설명으로 <u>잘못된</u> 것은?

① 1단계는 주로 개발도상국에서 나타나는 현상이다.
② 2단계에서 사망률이 감소한 것은 의학의 발달이 주요 원인이다.
③ 3단계는 인구가 본격적으로 감소하는 단계이다.
④ 4단계에서는 저출산 고령화 현상이 주로 나타난다.

2. 위의 인구변천모형 3단계에서 출산률이 감소한 이유에 해당하지 <u>않는</u> 것은?

① 만혼의 증가
② 결혼과 출산에 대한 가치관의 변화
③ 여성의 사회진출 증가
④ 인구부양력의 약화와 경제적 불황

3. 다음 사례에서 인구이동의 원인이 <u>다른</u> 것은?

① 흑인노예들의 유럽과 미대륙으로의 이동
② 18세기 중국인들의 동남아시아로의 이동
③ 일제강점기 강제적 징용과 징병
④ 1930년대 고려인들의 중앙아시아 지역으로의 이동

4. 개발도상국 인구구조의 특징으로 맞는 것은?

① 선진국에 비해 출생률이 낮은 편이다.
② 유소년층의 비중이 큰 편이다.
③ 노년층의 비중이 매우 큰 편이다.
④ 평균수명이 선진국에 비해 긴 편이다.

5. 저출산의 원인에 해당하지 않는 것을 모두 고르면?

㉠ 여성의 사회진출 증가	㉡ 결혼에 대한 가치관의 변화
㉢ 초혼연령의 하락	㉣ 양육에 대한 부담 감소

① ㉠, ㉡　② ㉡, ㉢
③ ㉢, ㉣　④ ㉠, ㉡, ㉢, ㉣

6. 고령화의 원인에 해당하는 것을 모두 고르면?

㉠ 노인 복지비용의 증가	㉡ 저출산
㉢ 노동력의 부족	㉣ 의학의 발달로 평균수명 증가

① ㉠, ㉡　② ㉡, ㉣
③ ㉢, ㉣　④ ㉠, ㉡, ㉢, ㉣

7. 다음은 어떤 문제를 해결하기 위한 방법인가?

> 스웨덴 정부는 부모 모두의 충분한 육아휴직 기간을 보장하고 있다. 자녀가 8살이 될 때까지 부모는 공동으로 480일의 휴가를 나눠 쓸 수 있다. 부모 중 한 사람이 반드시 60일 이상 사용해야 한다.

① 저출산 문제
② 노동력 부족 문제
③ 만혼문제
④ 기업 경쟁력 강화 문제

8. 고령화 문제를 해결하기 위한 대책으로 <u>잘못된</u> 것은?

① 정년의 연장
② 임금 피크제
③ 공공보육시설 감축
④ 노인 연금 확대

9. 개발도상국의 인구 과잉으로 인한 다양한 문제를 해결하기 위한 방법으로 <u>잘못된</u> 것은?

① 경제발전을 통한 인구부양력을 키운다.
② 출산장려금을 적극 지원한다.
③ 식량증산정책을 실시한다.
④ 중소도시와 촌락의 생활환경을 개선한다.

10. 고령화의 개념을 바르게 연결한 것은?

① 전체인구에서 65세 이상이 차지하는 비율이 7%를 넘게 되면 고령 사회라고 한다.
② 전체인구에서 65세 이상이 차지하는 비율이 14%를 넘게 되면 초고령 사회라고 한다.
③ 전체인구에서 65세 이상이 차지하는 비율이 20%를 넘게 되면 고령화 사회라고 한다.
④ 최근 고령화의 기준연령을 높이려는 주장이 설득력을 얻고 있다.

11. 자원의 특성에 해당하지 <u>않는</u> 것은?

① 편재성 ② 유한성
③ 영구성 ④ 가변성

12. 석유자원에 대한 설명으로 적당하지 <u>않은</u> 것은?

① 석유수출국기구(OPEC)의 경우 석유생산량을 무조건 증산시키려고 한다.
② 현재 가장 수요가 많은 화석연료이다.
③ 생산지와 소비지가 달라 국제적인 이동이 많은 편이다.
④ 사우디아라비아를 비롯한 페르시아만 주변 국가들이 많이 생산하고 있다.

13. 카스피해, 북극해, 동중국해, 남중국해 등은 석유, 천연가스 등 주요 에너지 자원을 확보하기 위해 갈등이 심각한 지역들이다. 이 갈등의 근본적인 원인은?

① 자원의 편재성
② 자원의 가변성
③ 자원의 공유성
④ 자원의 확장성

14. 최근 액화되면서 사용량이 증가하고 있고 비교적 오염이 적은 청정에너지로 각광받고 있는 화석연료는?

① 석탄
② 메탄하이드레이트
③ 천연가스
④ 석유

15. 다음 (   ) 안에 알맞은 말은?

미래사회에서는 자신의 의견과 다르더라도 이를 억압하지 않고 받아들이는 (   )의 자세가 필요하다.

① 순응
② 관용
③ 보편
④ 편견

16. 다음 (   ) 안에 알맞은 말은?

소비자가 윤리적인 가치 판단에 따라 인간, 동물, 환경에 해를 가하지 않는 상품이나 서비스를 구매하는 것을 (   )라고 한다.

① 윤리적 소비
② 합리적 소비
③ 동조 소비
④ 과시 소비

17. 현세대의 필요를 충족시키기 위해 미래세대가 사용할 자원을 낭비하거나 여건을 저해하지 않으면서 조화와 균형을 이루는 활동으로 보기 어려운 것은?

① 자원의 적극적 개발과 사용량의 증가
② 에너지 절약
③ 재활용, 재사용의 증가
④ 각종 국제 환경 관련 협약 체결과 준수

18. 다음 〈보기〉의 내용에 해당하는 것은?

〈보기〉

세계를 하나의 공동체로 인식하고 지구촌 구성원으로서 지구촌 문제에 관심을 갖는 연대의식을 말하며 인류의 보편적인 가치를 개별 사회 집단의 이익보다 중시하는 자세도 필요하다.

① 한민족 의식
② 세계 시민의식
③ 국민 의식
④ 지역화 의식

19. 과학기술의 발전에 따른 부정적인 측면이 아닌 것은?

① 정보기술의 발달로 인한 사생활침해
② 인간의 생명을 가볍게 보는 생명윤리침해
③ 유전자조작식품으로 인한 식품안전
④ 시·공간의 거리 축소

20. "함께하는 미래를 위해 우리가 가져야 할 태도"라는 주제에 알맞은 설명은?

① 무엇보다도 민족을 강조하는 것이 중요하다.
② 개방보다는 폐쇄적인 태도가 필요하다.
③ 전 지구적 차원에서의 인류 보편적인 가치를 추구해야 한다.
④ 지역이기주의가 어느 때보다 필요한 상황이다.

실전모의고사
1, 2회 풀어보기

1. 갑, 을, 병이 사회현상을 바라보는 관점을 바르게 연결한 것은?

> · 갑 : 20세기 말부터 현재까지 꾸준하게 온실가스 농도가 증가하면서 지구 온난화가 심각해지고 있어.
> · 을 : 타인에게 피해를 주는 것은 안 된다는 것을 알면서도 사람들이 무분별하고 무책임한 태도로 우리 후손들의 삶을 파괴하고 있어.
> · 병 : 지금이라도 국가에서 강력한 법적 규제와 국제적인 환경관련 협정을 맺어서 이를 극복해야 돼.

갑 을 병

① 시간적 관점 - 윤리적 관점 - 사회적 관점
② 공간적 관점 - 시간적 관점 - 윤리적 관점
③ 윤리적 관점 - 사회적 관점 - 시간적 관점
④ 사회적 관점 - 공간적 관점 - 시간적 관점

2. 다음 사상에서 행복에 대해 긍정의 답을 할 질문은?

> 가장 이상적인 삶은 물처럼 사는 것이다. 물은 항상 겸손하게 아래로 향하고 흐르면서 다투지 않고 순리대로 움직인다.

① 자연 그대로의 모습으로 살아가는 것이 행복인가?
② 중생을 구제하고 해탈의 경지에 이르는 것이 행복인가?
③ 인(仁)의 삶을 살아가는 것이 행복인가?
④ 이성의 기능을 잘 발휘할 때 행복을 느끼는가?

3. 다음 글을 읽고 분석을 바르게 한 학생은?

과거에는 풍수지리적인 명당, 풍부한 산물, 이웃 간의 정, 아름다운 경치 등을 이상적인 정주환경으로 보았으나 최근에는 의료와 교육시설이 많고 풍부한 녹지 공간, 편리한 교통을 가진 곳을 이상적인 공간으로 인식한다.

① 갑 : 행복과 주거환경은 직접적으로 관련이 없다.
② 을 : 이상적인 정주환경은 시대와 상관없이 일정하다.
③ 병 : 현재는 인문환경적인 조건들이 이상적인 조건과 관련이 깊다.
④ 정 : 과거에는 교통이 가장 중요한 정주환경의 조건이었다.

4. 다음과 같은 가옥구조가 나타나는 기후에 대한 설명으로 잘못된 것은?

① 사냥과 어로가 식량공급 방법이다.
② 일부지역에만 벼농사가 가능하다.
③ 백야축제가 열리기도 한다.
④ 개썰매를 이용해 이동하기도 했다.

5. 밑줄 친 ㉠~㉣에 대한 설명으로 옳지 않은 것은?

> 오늘날 국내외적으로 다양한 환경오염과 파괴가 나타나고 있다. 화석연료의 무분별한 사용으로 인해 ㉠지구의 기온은 계속 상승하고 있고 프레온가스의 사용으로 ㉡오존층은 파괴되고 있다. ㉢갯벌과 습지는 간척과 각종 개발로 사라지고 있다. ㉣열대림의 파괴로 지구의 공기는 점점 더 나빠지고 있다.

① ㉠ : 주로 이산화탄소가 온실효과를 발생시키고 있다.
② ㉡ : 피부암과 백내장 환자가 증가하고 있다.
③ ㉢ : 이를 방지하기 위해 몬트리얼 의정서를 맺었다.
④ ㉣ : 아마존밀림과 아프리카, 동남아시아 지역에서의 파괴가 심각하다.

6. 다음 (가)와 (나) 단계에서 이루어지는 설명으로 바르게 연결된 것은?

> 조사계획수립 → 지역정보수집((가)+현지조사) → (나) → 보고서작성

① (가) 단계에서는 각종 통계자료 조사와 인터넷 조사가 포함된다.
② (가) 단계에서 조사에 필요한 비용과 기간을 정한다.
③ (나) 단계에서 직접 밖으로 나가서 촬영과 인터뷰를 진행한다.
④ (나) 단계에서 조사지역을 선정한다.

7. 다음 신문 기사에 대한 설명에서 잘못된 것은?

> 개통 3주년을 맞아 KTX 호남선의 명암이 교차하고 있다. 수도권에서 광주, 전남을 찾는 인구가 종전보다 60%정도 늘었다. 호남권 대학 신입생도 증가하고 있고 KTX 정차역인 광주 송정역의 상권은 매출이 50%이상 증가했다. 그러나 정차하지 않는 광주역 상권은 폐업이 늘고 있고 항공과 고속버스의 매출은 급감하고 있어 대책이 시급하다.

① 교통의 발달이 접근성을 향상시켰다.
② 교통이 상권에 영향을 많이 미치고 있다.
③ 교통의 발달이 지역사회 변화에 중심적인 원인이 되고 있다.
④ 교통의 발달이 긍정적인 결과의 변화만을 가져왔다.

8. 도심지역 열섬현상에 대한 설명으로 맞지 <u>않은</u> 것은?

① 포장면적의 증가도 하나의 원인이 되고 있다.
② 녹지공간의 확보가 해결책이다.
③ 옥상정원을 없애고 도심하천을 덮는 것이 해결책이다.
④ 자동차와 공장 등에서 발생하는 인공열이 주요 원인이다.

9. 다음 ㉠~㉣에 들어갈 내용으로 바른 것은?

> **학습주제**
> 1. 시민혁명의 결과
> 영국 : ___㉠___, 미국 : ___㉡___, 프랑스 : ___㉢___
> 2. 시민혁명의 한계
> 시민의 재산과 성별 등에 따른 ___㉣___권의 차등부여

① ㉠ : 인권선언문　　② ㉡ : 권리장전
③ ㉢ : 독립선언문　　④ ㉣ : 참정

10. 다음 헌법조항이 보장하고자 하는 기본권에 대한 설명으로 바른 것은?

> 헌법 제 31조 모든 국민은 능력에 따라 균등하게 교육을 받을 권리를 가진다.

① 기본권의 침해를 바로 잡아달라고 국가에 요구할 수 있는 권리이다.
② 최소한의 인간다운 삶을 국가에 요구할 수 있는 권리이다.
③ 수단으로서의 기본권이다.
④ 종교의 자유와 언론의 자유가 같은 성격의 기본권 사례이다.

11. 다음 사례에 대해 바르게 말한 것은?

> 영국은 인도를 식민 지배하던 당시 인도인들의 소금 채취를 금지하는 소금법을 만들었다. 이에 간디는 이 소금법의 부당함을 알리고자 그의 지지자들과 함께 소금을 직접 채취하였고 법위반으로 구속되었다.

① 모든 것에 우선적으로 시도 되어야 하는 방법이다.
② 적절한 폭력을 사용하는 것도 시민 불복종에 해당한다.
③ 시민 불복종의 사례에 해당한다.
④ 아무도 모르게 위반 했어야 제대로 된 시민 불복종에 해당한다.

12. 다음 상황에서 기회비용을 구하시오.

> 정민이는 아르바이트로 시간당 9,000원을 받고 있다. 친구 민수가 영화를 보자고 하는데 영화를 보게 되면 두 시간 동안 아르바이트를 못하게 되고 영화비로 12,000원을 지불해야 한다. 결국 정민이는 영화를 보기로 결정했다.

① 18,000원
② 9,000원
③ 30,000원
④ 6,000원

13. 시장경제에서 기업가와 소비자, 노동자의 역할로 <u>잘못된</u> 것은?

① 기업가는 기업윤리에 따라서 생산해야 한다.
② 노동자는 파업을 해서는 안 된다.
③ 소비자는 합리적인 소비를 해야 한다.
④ 기업가는 노동자의 권리를 보장해주어야 한다.

14. 기본권을 제한할 수 있는 조건에 해당하지 <u>않는</u> 것은?

① 전쟁과 같은 국가 비상사태
② 폭동의 발생과 같은 무질서한 상황
③ 야당과 여당의 의견대립 상황
④ 공공의 이익을 보호해야 하는 상황

15. 인종차별문제로 보기 <u>어려운</u> 사례는?

① 백호주의(백인들만의 호주 건설)
② 나치에 의한 유태인 차별과 학살
③ 남아프리카공화국 아파르트헤이트(비백인 분리와 격리, 차별)
④ 여성이기 때문에 승진을 시키지 않는 유리천장 현상

16. 다음과 같은 상황이 계속될 경우 나타날 수 있는 결과는?

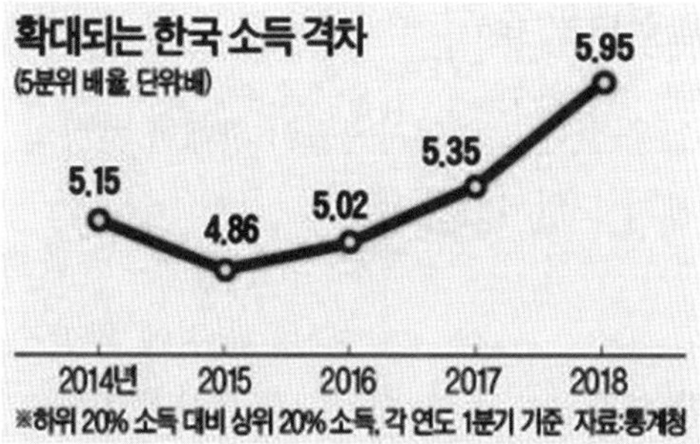

① 사회에 점차 안정적인 분위기가 나타난다.
② 사회복지에 대한 필요가 점차 감소한다.
③ 소득의 분배가 잘 이루어지고 있는 상황으로 판단할 수 있다.
④ 상대적 박탈감으로 인해 사회불안요소가 된다.

17. 투자원칙 중 유동성에 대한 설명으로 맞는 것은?

① 가장 낮은 투자수단은 채권이다.
② 부동산보다 주식이 유동성이 높다.
③ 주식보다 현금이 유동성이 낮다.
④ 유동성은 투자의 이익이 높은 것을 말한다.

18. 다음 제도들이 의미하는 것은?

장애인 의무고용제도, 대입 수시전형 농어촌 전형과 사회배려자 전형

① 사회적 약자들에게 행해지는 적극적 우대조치이다.
② 역차별을 주장하는 사람들은 있을 수 없다.
③ 사회적 강자들의 기회를 완전히 뺏는 효과가 나타난다.
④ 이런 제도들은 사회적 약자들의 불평등함을 완벽하게 해소해 준다.

19. 다음 사례에 해당하는 분배의 종류는?

이번 달부터 기본급을 없애고 영업사원들이 판매한 차량의 대수에 비례해서 급여를 주는 새로운 급여체계가 도입되었다.

① 필요에 의한 분배 ② 업적에 의한 분배
③ 절대적 평등에 의한 분배 ④ 온정적 분배

20. ( ) 안에 알맞은 것은?

사하라 사막 이남지역의 ( ) 문화권은 부족단위의 공동체 생활을 하고 주로 토속종교를 믿고 있다.

① 아프리카 ② 건조
③ 오세아니아 ④ 라틴아메리카

21. 서로 다른 사회의 문화 요소가 결합하여 기존의 두 문화 요소와는 성격이 다른 새로운 문화가 형성되는 것의 사례로 볼 수 <u>없는</u> 것은?

① 돌침대 ② 밥버거
③ 불고기피자 ④ 전통 한복

22. 다음 사례에 맞는 문화변동 양상은?

> 말레이시아는 예로부터 다양한 문화의 영향을 받았다. 그 결과 불교, 힌두교 등 다양한 외부사회 종교가 유입되었고 현재 다양한 종교 의식과 문화가 자리 잡고 함께 공존하고 있다.

① 문화병존
② 문화융합
③ 문화동화
④ 문화발전

23. 피라미드형 인구구조가 나타나는 국가에 대한 설명으로 잘못된 것은?

① 현재 경제수준에 비해 인구가 많은 편이다.
② 노년층이 다른 계층에 비해서 매우 높은 편이다.
③ 유아사망률이 높은 편이다.
④ 대체로 인구가 급속하게 늘어나고 있는 상황이다.

24. 다음은 우리나라 시대별 가족계획 표어이다. 옳은 설명은?

> · 1970년대 – 아들딸 구별 말고 둘만 낳아 잘 키우자.
> · 1990년대 – 잘 키운 딸 하나 열 아들 안 부럽다.
> · 2000년대 – 엄마! 나도 이제 동생이 갖고 싶어요.

① 1970년 대에는 출생률이 낮았을 것으로 판단할 수 있다.
② 1990년 대에는 남녀 성비불균형을 걱정하고 있음을 알 수 있다.
③ 2000년 대에는 가족계획사업을 포기한 것으로 판단된다.
④ 2000년 대 이후 출생률이 극단적으로 높아진 것을 알 수 있다.

25. 산업혁명시기에 가장 각광받던 화석연료자원에 대한 설명으로 맞는 것은?

① 현재는 발전용과 제철용 등으로 사용되고 있다.
② 액화시켜서 사용량이 최근 급증하고 있는 청정 에너지이다.
③ 서남아시아 지역에서 생산되어 세계로 이동하고 있다.
④ 주로 첨단산업의 원료로 사용되고 있다.

1. 다음 중 공간적 관점에 해당하는 질문으로 적절한 것을 〈보기〉에서 고르면?

탐구 주제 : 쓰레기 소각장 건설 갈등

〈보기〉

㉠ 쓰레기 소각장 건설 예정지의 위치 정보는 어떠한가?
㉡ 쓰레기 소각장 건설 관련 갈등을 해결하기 위해 어떤 법이 필요한가?
㉢ 쓰레기 소각장 건설로 주민들의 사익을 침해해도 되는가?
㉣ 쓰레기 소각, 매립 문화는 어떻게 바뀌어 왔는가?

① ㉠　② ㉡　③ ㉢　④ ㉣

2. 다음 내용은 행복한 삶을 위한 어떤 조건에 부합하는가?

일자리 확대,　최저임금 보장

① 질 높은 정주환경　② 경제적 안정
③ 민주주의 실현　④ 도덕적 실천

3. 다음 주장을 한 철학자 또는 학파는?

행복은 최고의 선이며 삶의 궁극적 목적이고 이성의 기능을 발휘할 때 실현된다.

① 벤담　② 에피쿠로스　③ 아리스토텔레스　④ 칸트

4. 다음과 같은 가옥구조가 나타나는 지역의 기후에 대한 설명으로 옳은 것은?

① 강수량보다 증발량이 많은 기후이다.
② 더위로 얇고 간편한 옷차림이 나타난다.
③ 스콜로 인해 급경사 지붕이 나타난다.
④ 침엽수가 많은 타이가 지대가 나타난다.

5. 다음 〈보기〉의 재해에 대한 주요 대비책으로 알맞은 것은?

〈보기〉

땅이 갈라지고 흔들리며 건축물과 도로 등의 붕괴를 초래하는 지질재해

① 내진 설계
② 다목적 댐 건설
③ 빗물저장소 마련
④ 지하수 개발

6. 다음은 어떤 지형과 관련된 관광자원인가?

주상절리, 칼데라호, 오름

① 카르스트 지형
② 빙하 지형
③ 화산 지형
④ 툰드라 지형

7. 다음 내용에 맞는 자연관 또는 태도는?

· 자연은 그 자체로 존중받을 가치가 있다.
· 인간과 자연은 상호 보완적인 관계이다.

① 도구적 자연관
② 인간 중심주의
③ 이분법적 관점
④ 생태 중심주의

8. 다음 내용을 방지하기 위한 국제협약은?

· 시간이 흐를수록 갯벌 면적은 줄어들고 있고 연안바다는 오염되고 있다.
· 습지가 훼손되면서 습지생물들의 개체수가 급감하고 있다.

① 몬트리얼 의정서
② 바젤 협약
③ 람사르 협약
④ 사막화 방지 협약

9. 다음 중 도시화로 인한 영향으로 보기 <u>어려운</u> 것은?

① 직업의 분화
② 공동체주의의 확산
③ 개인주의 확산
④ 생활수준의 향상

10. 산업화, 도시화로 인한 문제의 해결 방안으로 성격이 <u>다른</u> 것은?

① 도시 재개발
② 타인 존중
③ 공영주차장 확대
④ 사회복지제도 확충

11. 정보화로 인한 생활양식의 변화로 적당하지 <u>않은</u> 것은?

① 빈부격차 해소
② 전자투표
③ 쌍방향 소통의 증가
④ 원격근무

12. 다음 밑줄 친 내용은 인권의 특성 중 어디에 해당하는가?

> 우리는 자유롭고 평등한 권리를 <u>가지고 태어난다</u>.

① 보편성
② 천부성
③ 불가침성
④ 영구성

13. 현대사회에서 확장된 인권에 해당하지 <u>않는</u> 것은?

① 주거권
② 안전권
③ 환경권
④ 자유권

14. 다음은 어떤 기본권에 해당하는가?

> · 국가에 인간다운 삶을 위한 조건을 요구할 수 있는 권리
> · 교육받을 권리, 근로의 권리 등

① 청구권
② 사회권
③ 참정권
④ 평등권

15. 다음은 시민 불복종의 조건 중 어디에 해당하는가?

위법 행위에 따른 처벌을 받아들이고서라도 참여할 의사가 있어야 한다.

① 처벌감수 ② 최후의 수단
③ 비폭력성 ④ 공익성

16. 다음과 같은 상황에 해당하는 소비행위는?

민희 : 엄마! 내 친구들 다 그 가방 가지고 있단 말이에요. 엄마 : 그래도 네가 필요한 것은 아니니 사줄 수 없단다. 민희 : 안되요. 필요하진 않지만 저만 없으면 소외감 느낀단 말이에요.

① 합리적 소비 ② 과시소비
③ 윤리적 소비 ④ 동조소비

17. 다음 중 시장의 한계(또는 시장실패)에 대한 설명으로 적절하지 <u>않은</u> 것은?

① 시장의 한계란 자원이 비효율적으로 배분되는 것을 말한다.
② 시장에서는 공공재가 필요한 만큼 공급되지 않는다.
③ 대체로 시장은 한계가 존재하지 않는다.
④ 시장에 공급자가 하나 또는 소수인 경우 발생한다.

18. 국제무역의 확대가 가져온 영향에 대한 설명으로 <u>잘못된</u> 것은?

① 생산지 이동과 대량생산으로 생산비가 증가하는 경향이 발생
② 소비자들의 선택의 폭이 확대됨
③ 경쟁력이 떨어지는 국내 산업이 위축됨
④ 외국과의 경쟁을 통해 경쟁력이 강화됨

19. 다양한 분배 기준 중에서 다음 내용에 해당하는 것은?

> · 모든 사람들에게 절대적으로 동일한 몫을 분배하는 것
> · 경제적 평등을 가져올 수 있으나 근로의욕이 약화되거나 생산성이 하락할 수 있음

① 업적에 따른 분배
② 능력에 따른 분배
③ 필요에 따른 분배
④ 절대적 평등에 따른 분배

20. 경제수준이나 사회적 지위 등에서 열악한 위치에 있는 개인 또는 집단을 무엇이라고 하는가?

① 사회적 강자
② 사회적 약자
③ 기득권층
④ 사회 지배층

21. 에스파냐와 포르투갈의 식민지배 경험을 가지고 있고 가톨릭의 비율이 높고 혼혈족이 중심인 문화권은?

① 라틴아메리카 문화권
② 앵글로 아메리카 문화권
③ 서남아시아 문화권
④ 북극 문화권

22. 다음 사례는 문화변동의 양상 중 어디에 해당하는가?

> · 국악기로 연주하는 팝음악
> · 사찰 내 산신각
> · 불고기 피자

① 문화병존 ② 문화융합 ③ 문화공존 ④ 문화동화

23. 다음 사례에서 필요한 올바른 문화이해 태도는?

· 전족은 어린 소녀의 발을 인위적으로 자라지 못하게 하는 중국의 풍습이다.
· 사티는 힌두교의 풍습으로 남편이 사망하면 부인을 산채로 화장하는 풍습이다.

① 문화 사대주의
② 극단적 문화 상대주의
③ 자문화 중심주의
④ 문화 상대주의

24. 기존 문화에 이주민의 문화를 융합, 흡수해서 단일한 정체성을 이루어야 한다는 다문화 이론은?

① 국수대접 이론
② 용광로 이론
③ 모자이크 이론
④ 샐러드 볼 이론

25. 세계화의 문제점에 해당하지 <u>않는</u> 것은?

① 약소국의 문화가 서서히 소멸하고 있다.
② 지역문화의 고유성이 강화되고 있다.
③ 전 세계 문화가 비슷해지고 있다.
④ 국가 간에 빈익빈 부익부 현상이 나타나고 있다.

정답 및 해설

단원별확인문제
실전모의고사 1, 2

단원확인문제

01. 인간, 사회, 환경과 행복

1. ③	2. ④	3. ①	4. ②	5. ①
6. ④	7. ②	8. ①	9. ③	10. ④
11. ②	12. ①	13. ②	14. ④	15. ③
16. ③	17. ③	18. ①	19. ④	20. ①

1. 시간의 흐름을 중심으로 현상을 설명하고 있기 때문에 시간적 관점에 해당한다.

2. 국제협약이 사회구성원의 행동에 미치는 영향을 설명하기 때문에 사회적 관점에 해당한다.

5. 인권을 언급하는 것에서 윤리적 관점임을 알 수 있다.

6. '전체를 볼 수 있는 관점'이라는 표현에서 통합적 관점임을 알 수 있다.

7. 시간과 장소에 따라 행복의 기준이 다름을 보여주고 있다.

8. 해탈은 불교의 행복기준, 평정심은 에피쿠로스학파의 행복기준, 무위자연은 도교의 행복기준이다.

10. 쾌락이 행복인 것은 공리주의이다.

11. 진정한 행복은 지속적이고 정신적인 것과 관련이 깊다.

12. 물질적 가치와 정신적 가치를 함께 추구하는 것이 바람직하다.

13. 이중환의 택지리의 바람직한 4가지 거주조건은 '질 높은 정주환경'에 해당한다.

14. 맹자의 '항산'은 안정적인 직업과 소득을 의미하는 것으로 경제적인 안정과 관련 깊다.

15. 최저임금 보장은 경제적 안정과 관련된 내용으로 민주주의 실현을 통한 행복한 삶의 방법은 아니다.

16. 목표만을 보고 움직이는 것은 성찰과는 거리가 멀다.

17. 민주주의 지수가 높은 나라가 행복지수도 높다는 것을 보여주고 있다.

18. 노자는 가장 아름답고 바람직한 삶을 '상선약수'라 하였다. '상선약수'란 물처럼 사는 것을 말한다.

19. 〈보기〉의 ㉠은 아리스토텔레스의 주장이고 ㉡은 에피쿠로스 학파의 주장이다.

02. 자연환경과 인간

1. ②	2. ②	3. ①	4. ②	5. ①
6. ②	7. ④	8. ③	9. ①	10. ④
11. ③	12. ①	13. ②	14. ④	15. ①
16. ①	17. ④	18. ②	19. ①	20. ③

2. 해빙기 대비 고상가옥은 냉대기후와 한대기후 일부지역에서 볼 수 있는 가옥구조이다. 그늘을 만들기 위한 좁은 골목은 건조기후에서 나타나는 가옥특징이다. 게르는 스텝기후 유목부족에서 나타나는 가옥특징이다.

3. 사막기후 지역에서는 햇빛과 모래바람을 막기 위해서 온몸을 가리는 형태의 의복이 발달했다.

5. 이동식 천막집인 게르는 건조기후 중에서 스텝기후 지역 유목민들에게서 볼 수 있는 특징이다.

6. 산지지형은 교통이 불편하고 화산지형은 재해가 염려되기 때문에 인간 거주에 유리한 지형으로 보기 어렵다.

8. 지진은 기상재해가 아니라 지질재해로 볼 수 있다.

9. 지진과 화산은 환태평양조산대, 알프스-히말라야 조산대 지역에서 공통적으로 발생하는 편이다.

10. 성숙한 시민의식은 국가의 노력이라기 보다는 시민들에게 필요한 태도이다.

11. '자연은 의식 없는 물질'이라고 한 사람은 데카르트이고 '자연을 노예로 만들자'고 한 사람은 베이컨이다. 두 사람 모두 인간중심주의를 주장한 사람들이다.

12. 일원론적 자연관은 인간과 자연이 하나라는 주장으로 생태론 쪽에서 주장하는 것이다.

13. 인간과 자연을 따로 분리해서 생각하는 것은 인간중심주의에 해당한다.

16. 상선약수도 도교의 가르침은 맞지만 보기에 무위자연이 있기 때문에 정답으로 보기는 어렵다.

17. 환경문제의 특성상 책임소재를 가리기가 어렵고 한 나라만 책임진다고 해결될 문제가 아니다. 피해 복구 시간은 점점 더 오래 걸리고 있다.

18. 염화 불화 탄소는 일명 프레온 가스로 오존층 파괴의 주범이다. 오존층이 파괴되면 백내장과 피부암이 증가한다. 빙하 면적 감소는 지구온난화, 건축물부식과 호수의 산성화는 산성비의 영향으로 볼 수 있다.

19. 바젤 협약은 국제 폐기물의 이동을 규제하는 조약이고, 몬트리얼 의정서는 프레온 가스 배출을 규제해 오존층 파괴를 방지하기 위한 국제협약이다. 람사르 협약은 습지와 갯벌을 보호하기 위한 협약이다.

03. 생활공간과 사회

1. ④	2. ①	3. ①	4. ②	5. ③
6. ②	7. ③	8. ④	9. ②	10. ④
11. ②	12. ③	13. ③	14. ①	15. ③
16. ①	17. ②	18. ①	19. ③	20. ②

3. '토지의 집약적 이용'은 고층화, 밀집화의 형태로 개발되는 것을 의미한다.

4. 포장면적의 증가로 도시홍수의 빈도가 증가하고 있다.

5. (   ) 안에 알맞은 말은 도시문제이다. 교통량이 증가하면서 교통체증과 주차난은 증가한다.

7. 옥상정원 설치와 도심하천 복원은 열섬현상을 해결하는 데 도움을 주는 방법이다.

8. 도심지역으로 기능을 집중하는 것은 도시문제를 악화시킬 가능성이 높다.

10. 도시지역은 집단보다는 개인을 더 중시하는 경향이 크다.

12. 유출효과와 배출효과는 같은 뜻으로 지역을 떠나게 하는 현상 또는 원인을 말한다.

14. 온라인 쇼핑거래액이 증가하는 것은 소비자들이 쇼핑시간과 장소의 제약이 없이 쇼핑할 수 있다는 것을 의미한다.

15. 표에 제시된 저소득층은 일반국민을 100으로 봤을 때 74와 87 정도로 낮은 편이고, 장애인들은 62와 86 정도로 노년층의 56과 77보다 높다.

16. 간접적인 접촉이 늘고 있고 개인주의의 확산으로 공동체 단합이 강해진다고 보기 어렵다.

18. 통계자료 확인은 실내조사에 해당한다.

19. 내국인과 외국인 관광객 수 모두 증가하고 있다.

04. 인권보장과 헌법

1. ③	2. ④	3. ①	4. ④	5. ①
6. ③	7. ④	8. ③	9. ④	10. ③
11. ③	12. ②	13. ③	14. ④	15. ①
16. ③	17. ①	18. ③	19. ②	20. ④

1. '누구나'라는 표현에서 보편성을 말하고 있음을 알 수 있다.

2. '태어난다'라는 표현에서 천부성을 말하고 있음을 알 수 있다.

3. 프랑스 혁명은 천부인권사상과 자연권개념, 이성을 중시하는 계몽사상의 영향을 받아 발생했다. 사회주의는 프랑스 혁명 발생 이후에 등장한 사상이다.

5. 고대 아테네의 시민은 여성과 노예, 외국인을 제외한 개념이었다. 시민혁명시기 시민은 부유한 평민까지를 시민으로 보았고, 차티스트 운동 이후에 노동자와 여성, 흑인 등에게 참정권이 주어지기 시작했다. 1987년 시기 우리나라 시민은 거의 모든 사람을 시민의 범위 안에 두고 있었다.

6. 제시된 사람들은 모두 정치에 자유롭게 참여할 수 있는 참정권을 원했다.

7. '권리장전'은 1688년 영국 명예혁명의 결과로 만들어진 것으로 1948년에 발표된 '세계인권선언'과 비교해 시기가 먼저이다.

8. 바사크(바작)의 인권 3세대론 중에서 1세대는 자유권 중심, 2세대는 사회권 중심, 3세대는 연대권 중심으로 요약할 수 있다.

12. 복수정당제는 인권을 보호하기 위한 제도 중의 하나로 기본권 구제 수단은 아니다.

14. 모두 참정권의 사례이다. 공무담임권은 공무원에 선출될 권리로 피선거권과 유사하고, 국민투표권은 국가중요사항을 국민이 투표로 직접 찬성과 반대 형식으로 결정하는 것을 말한다. 선거권은 대표를 선출할 권리를 말한다.

16. 기본권 제한의 경우는 국가안전보장, 질서유지, 공공복리의 경우로 모두 법률에 근거해 일시적, 일부만 제한가능하다.

17. 시민 불복종은 정의에는 맞을 수 있으나 현행법을 어기는 것이기 때문에 합법적인 방법은 아니다.

18. 시민 불복종은 반드시 공개적으로 이루어져야 한다. 이로 인한 처벌은 피할 수 없으며 폭력을 사용해서는 안 된다. 그리고 마지막으로 적용되어야 하는 최후의 방법이다.

19. 압력을 행사하는 것은 이익집단에 해당한다. 국민참여 재판은 국민이 배심원으로 형사재판에 참여하는 제도이고 공청회는 국가 중요 정책을 국민들에게 직접 설명하고 의견을 듣는 제도이다.

20. 여성은 현시점에서도 사회적 소수자의 범위에 포함시키는 경향이 강하다. 이는 학업과 직업선택, 사회적 성공 등에서 차별받는 부분이 존재하기 때문이다.

05. 시장 경제와 금융

1. ③	2. ①	3. ②	4. ③	5. ③
6. ②	7. ①	8. ①	9. ①	10. ②
11. ④	12. ②	13. ②	14. ①	15. ②
16. ②	17. ②	18. ③	19. ③	20. ①

1. 16세기경에서 17세기경까지 상업자본주의가 발생했다. 상업자본주의는 절대왕정의 중상주의(상공업중시) 정책을 근간으로 신항로 개척을 통해 식민지를 개척하고 상품의 유통을 통해 부를 축적하던 시기였다.

2. 독점자본주의의 폐해로 인해 대공황이 발생하자 국가의 개입을 내용으로하는 수정자본주의가 등장했다.

3. 명시적 비용은 선택 시 지불해야 하는 비용이고, 암묵적 비용은 선택으로 인해 포기하게 되는 가치를 말한다.

4. 복지병은 시장의 실패가 아니라 과도한 복지로 인해 발생하는 비효율적인 현상을 말한다.

5. 기회비용은 명시적 비용과 암묵적 비용을 합한 것으로, 사례에서 명시적 비용은 여행비 200만원, 암묵적 비용은 100만원이다. 따라서 둘을 합한 300만원이 기회비용이 될 것이다.

7. 단결권과 단체교섭권은 헌법에 보장된 노동자들

의 권리이다.

9. 의도하지 않은 내 행위로 타인에게 도움을 준 것은 외부 경제라고 하고 반대로 의도하지 않은 내 행위로 타인에게 불이익을 준 것은 외부 불경제라고 한다.

10. 환경을 생각하는 녹색소비와 인권과 정의를 생각하는 착한소비가 합쳐지면 윤리적 소비가 된다.

11. 생산요소의 지역적 분포가 모두 다르기 때문에 분업과 무역을 통해서 이 어려움을 극복할 수 있다.

12. 우선 표에서 알 수 있듯이 갑국이 휴대폰과 의류 모두 절대우위 상태에 있다. 그러나 휴대폰 1단위를 생산하려면 갑국은 옷 0.5단위(100/200), 을국은 옷 1.5단위(600/400)를 포기해야 한다. 휴대폰 생산의 기회비용은 갑국이 을국보다 적은 것으로 볼 수 있다. 반대로 옷 생산의 기회비용은 갑국의 휴대폰 2단위(200/100) 보다 을국 2/3단위(400/600)가 적다. 즉 비교우위에 따라 갑국은 휴대폰을, 을국은 옷을 특화 생산해 무역을 하면 두 나라 모두 이익을 볼 수 있다.

13. 소비자 선택의 폭이 증가하는 것은 국제무역의 확대배경이 아니라 결과에 해당한다.

15. 자산의 유동성에 관한 문제로 유동성은 현금화 가능성을 말한다. 따라서 현금화 가능성이 높은 자산 순서는 (보통)예금 〉 채권과 주식 〉 부동산 순서로 볼 수 있다.

16. 분산투자를 포트폴리오라고 한다.

17. '소득-소비=저축' 이다. 그래프의 A부분은 소득이 지출보다 높은 저축에 해당하는 부분이고 B부분은 대체로 은퇴 이후 시점으로 지출이 소득보다 높은 적자 구간에 해당한다.

18. A단계는 아동기, B단계는 노년기, C단계는 청년기를 말한다. 따라서 순서는 A-C-B로 볼 수 있다.

19. 수익성이 좋은 순서는 대체로 주식〉채권〉예금이다. 따라서 A는 주식, B는 채권, C는 예금이다. 안전성은 예금〉채권〉주식 순서이다. 현금화가 가장 높은 것은 예금이다. 젊을수록 무조건 주식에 투자하라는 것은 분산투자 원칙에 어긋난다.

06. 정의와 사회 불평등

1. ④	2. ②	3. ①	4. ②	5. ③
6. ③	7. ④	8. ③	9. ②	10. ③
11. ③	12. ②	13. ③	14. ④	15. ②
16. ④	17. ②	18. ④	19. ①	20. ③

1. 공정함의 기준은 시대와 장소에 따라 다르다.

5. 〈보기〉의 분배방식은 모두에게 똑같이 나눠주는 '평등'에 해당한다.

7. 기회균등의 원칙은 약자들에게 최대한 기회를 제공해서 출발선을 같게 해주는 것을 의미하는 것으로 결과까지 완벽하게 같게 하는 것을 의미하는 것은 아니다.

8. '공유지의 비극'이라는 이름의 사례로 지나친 사익의 추구는 결국 누구도 사익을 추구할 수 없게 된다는 점을 보여주고 있다. 따라서 사익과 공익의 적절한 조화가 필요함을 암시하고 있다.

9. 공동체를 지나치게 강조하면 전체주의적 행동들이 나올 수 있다. 대표적인 사례로 독일의 나치즘, 이탈리아의 파시즘, 일본의 군국주의를 예로 들 수 있다.

10. 노직은 합법적 재산의 절대적 소유권을 주장했고 국가에 의한 복지용 분배는 절대 반대했다.

11. 그래프에서 분명 소득격차는 증가하고 있고 소득격차가 커지는 것은 사회 불안요소로 바람직하다고 할 수 없다.

12. 그래프에서 도시와 농촌의 격차는 제시되어 있지 않고 지역 간 중산층의 격차도 제시되어 있지 않다. 그리고 중산층의 비율이 감소하는 현상은 바람직하지 않기 때문에 중산층이 감소하는 상황에서 지원을 줄이는 것은 좋은 대안은 아니라고 판단할 수 있다.

14. 거점 개발은 성장가능성이 높은 일부지역만을 집중적으로 개발하는 것으로 우리나라에서는 1970년대 제 1차 국토종합개발계획에서 시행되었다. 그러나 그 결과 수도권 지역과 부산권 지역만 발전되고 나머지 지역은 개발의 효과를 전혀 보지 못하는 기형적인 발전이 나타났다.

15. 노인장기요양 보험은 사회보험에 해당한다.

16. 기초수급제도는 공공부조에 해당한다. 참고로 4대 보험은 국민연금, 건강보험, 고용보험, 산업재해보상보험이다.

20. 지역축제를 활성화 하는 것은 대도시지역과 지방 간의 격차를 해결하는 사례로 적당하다. 도시내부의 불평등 해소와는 거리가 있다.

07. 문화와 다양성

1. ①	2. ③	3. ④	4. ④	5. ③
6. ②	7. ②	8. ①	9. ③	10. ③
11. ①	12. ③	13. ②	14. ④	15. ③
16. ③	17. ④	18. ①	19. ①	20. ④

1. 기후는 문화권 형성에 영향을 주는 자연적 조건에 해당하고 나머지는 모두 인문적 조건에 해당한다.

2. 열대지방은 고상가옥, 사막지역은 흙집이나 돌집, 냉대기후지역은 통나무로 된 고상가옥집이 대표적이다.

3. 소를 신성하게 생각하는 것은 힌두교의 풍습이다. 이슬람은 돼지고기를 불결하게 여겨 먹지 않는다.

4. 힌두교의 전통과 불교, 신분제도인 카스트제도가 실질적으로 남아있는 나라는 인도이고 인도는 남부아시아 문화권에 해당한다.

5. 마오리족은 뉴질랜드 원주민이고 어보리진은 호주 지역의 원주민이다. 호주와 뉴질랜드는 오세아니아 문화권으로 분류된다.

6. 실크로드를 통해 사람 간에 직접 전달한 직접전파이고 신라의 이두는 자극을 받아 만들어진 자극전파의 사례이다. 한류열풍은 대체로 인터넷을 통한 전파가 주류를 이루었기 때문에 간접전파의 사례로 볼 수 있다.

7. 다른 문화에 흡수당하는 현상을 문화동화라고 한다.

8. 두 개의 문화가 합쳐져 새로운 형태의 문화가 만들어진 것으로 볼 수 있기 때문에 문화융합으로 볼 수 있다.

9. ③ 발견이고 나머지 사례는 모두 발명에 해당한다.

11. 문화를 그 문화의 입장에서 서술하고 있기 때문에 문화 상대주의에 해당한다.

12. 천하도는 중화사상의 영향을 받은 고지도이다. 지도에서 나타난 중화사상은 우리나라 사람들이 중국을 중심으로 문화를 인식하는 태도로 문화 사대주의에 해당한다.

13. 사티제도는 극단적 문화 상대주의에 입각한 잘못된 풍습이므로 이런 잘못된 인식에는 문화 상대주의가 필요하다.

15. ③ 인권을 침해하거나 생명을 해치는 내용이 없기 때문에 극단적 문화 상대주의의 사례로 보기는 어렵다.

16. 그래프는 외국인의 증가 추세를 보여주고 있는데 우리나라 외국인 증가 추세의 주요 부분은 결혼이주여성과 외국인노동자의 증가가 주요 원인이다.

17. 사례에서 '자신의 특성을 유지하면서 평등하게'라는 부분이 '샐러드 볼 이론'을 추론할 수 있게 하고 있다. 용광로는 주류문화를 강요하면서 타문화를 인정하지 않는 것이고 문화 동화주의도 같은 맥락의 표현이다.

18. '외국인 자녀가 프랑스어를 최대한 빨리 습득한 후'라는 표현에서 주류문화로의 편입을 강조하는 용광로 이론과 유사함을 엿볼 수 있다.

08. 세계화와 평화

1. ④	2. ②	3. ②	4. ①	5. ②
6. ③	7. ②	8. ③	9. ④	10. ①
11. ②	12. ③	13. ③	14. ④	15. ②
16. ①	17. ③	18. ①	19. ①	20. ②

2. 지역 브랜드는 지역에서 생산되는 상품과 서비스 또는 지역 자체에 부여한 하나의 고유한 상표를 말한다.(예: I♥NY), 장소 마켓팅은 특정장소를 상품으로 인식하고 사람들이 선호하는 이미지를 개발하여 지역의 가치를 상승시키는 홍보전략을 말한다.

3. 생산 공장은 대부분 저렴한 인건비를 확보하기 위해 개발도상국 도시지역에 위치하는 편이다.

6. 보편적 윤리의 관점에서 행위를 평가할 수 있다. 윤리기준이 나라나 지역마다 다를 수 있다는 것을 윤리상대주의라고 하는데 이는 자칫 극단적인 문화상대주의적인 행위들을 옹호하게 되는 결과를 가져올 수 있기 때문에 조심해야 한다.

9. 평화와 인권, 평등, 인간의 존엄성은 보편윤리에서 중시하는 개념이고 명예살인과 마흐람 제도(남성후견인 제도)는 특수윤리에 해당하는 사례이다. 특수윤리는 그 지역이나 특정 시점만의 일부 윤리로 보편윤리 앞에서 옳다고 볼 수 없다.

10. 공정무역은 개발도상국에게 도움을 주기 위한 선진국의 행동이다.

13. 석유자원과는 직접적 관련은 없다.

14. 〈보기〉에서는 통일 후 우리나라 경제가 어느 정도의 규모와 발전을 가져올 수 있는지 제시하고 있다.

15. 소극적 평화와 적극적 평화를 구분하는 문제로 소극적 평화는 전쟁과 무력충돌, 테러 등이 없는 상태를 말하고, 적극적 평화는 소극적 평화를 포함해서 인권이 보장되고 삶의 질이 높은 상태를 말한다.

16. 해방 후 38선을 경계로 소련군과 미군이 주둔하였다. 휴전선은 6.25 전쟁 이후 만들어진 것이다.

18. 고구려와 발해 역사를 자국역사의 일부로 바꾸려는 동북공정은 중국에서 진행하고 있는 역사왜곡이다.

20. 센카쿠 문제는 중국과 대만이 일본에 대해 영유권을 주장하고 있는 갈등 상황이다.

09. 미래와 지속가능한 삶

1. ③	2. ④	3. ②	4. ②	5. ③
6. ②	7. ①	8. ③	9. ②	10. ④
11. ③	12. ①	13. ①	14. ③	15. ②
16. ①	17. ①	18. ②	19. ④	20. ③

1. 3단계는 감산소사 단계로 출생률이 여러 가지 이유로 떨어지나 사망률보다는 높은 상태이기 때문에 인구는 증가하고 있는 단계이다.

2. 출생률이 감소한 이유로는 여성의 사회진출 증가, 만혼, 가족계획, 결혼과 출산에 대한 가치관의 변화가 있다.

3. ② 경제적 이동에 해당하고 나머지는 모두 강제적 이동의 사례이다.

4. 개도국은 출생률이 높아 유소년 층의 비중이 높은 편이다. 상대적으로 선진국에 비해 노년층은 적고 평균수명도 짧은 편이다.

6. 노인 복지비용의 증가와 노동력의 부족은 고령화의 결과에 해당한다.

8. 공공보육시설의 감축은 저출산 해결에 도움이 되지 않는다. 저출산은 고령화의 주요 원인이다.

9. 인구과잉인 개도국에 출산장려금을 주는 것은 문제를 더욱 악화시킨다.

10. 65세 이상 고령인구가 전체에서 7%를 넘으면 고령화 사회, 14%를 넘으면 고령 사회, 20%를 넘으면 초고령 사회라고 한다.

12. 석유수출국기구는 대체로 석유가격의 상승을 위해 생산량을 조절하려고 하고 고갈위험성을 과장하는 경향이 있다.

13. 자원이 특정지역에만 집중되어 있어 생기는 국제적 갈등이다.

17. 문제는 지속가능한 개발에 대해서 질문하고 있다. 지속가능한 개발이 되려면 자원을 아끼고 절약해야 한다.

19. 시 · 공간의 축소는 과학기술의 장점에 해당한다.

실전모의고사

01. 실전모의고사

1. ①	2. ①	3. ③	4. ②	5. ③
6. ①	7. ④	8. ③	9. ④	10. ②
11. ③	12. ③	13. ②	14. ③	15. ④
16. ④	17. ②	18. ①	19. ②	20. ①
21. ④	22. ①	23. ②	24. ②	25. ①

1. 갑은 '20세기 말부터 현재까지'를 말하며 시간의 흐름 관점에서 말하고 있다. 을은 무분별하고 무책임함을 강조하는 윤리적 관점에서, 병은 법적규제와 국제적 협정을 말하면서 사회적 관점에서 환경 문제를 보고 있다.

2. 제시된 사상은 물처럼 살아야 한다는 도교의 주장이다. 중생구제와 해탈은 불교의 입장, 인을 강조하는 것은 유교의 입장, 이성을 강조하는 것은 고대 그리스 철학의 입장이다.

4. 사진 속 가옥은 한대기후지역에서 나타나는 이글루이다. 한대기후 지역은 추운기후로 인해 농사가 거의 불가능하다.

5. 갯벌과 습지를 보호하기 위한 국제협약은 람사르 협약이다.

6. (가)에는 실내조사가, (나)에는 지역정보 분석이 들어간다.

8. 옥상정원과 도심하천 복구는 열섬현상을 해결하는 주요 해결책이다.

9. ㉠에는 권리장전, ㉡에는 독립선언문, ㉢에는 인권선언문이 들어가면 된다.

10. 헌법 제 31조는 사회권의 종류인 교육권에 대해서 말하고 있다. ①, ③은 청구권에 대한 사례이다. ④는 자유권에 대한 내용이다.

11. 시민 불복종은 마지막 방법이고 공개적이며 처벌을 감수하고, 폭력을 절대 사용하지 않아야 한다.

12. 기회비용은 '명시적 비용 + 암묵적 비용'이다. 따라서 영화비 12,000원은 명시적 비용에 해당되고, 암묵적 비용은 영화로 인해 포기한 아르바이트 2시간 분 급여 18,000원이다. 따라서 '12,000원 + 18,000원'으로 30,000원의 기회비용이 발생했다.

13. 노동자의 파업은 헌법에 단체행동권으로 보장되어 있는 권리이다.

14. 여당과 야당의 의견 대립은 정치적으로 해결하면 되는 것으로 국민의 기본권을 제한해야 하는 상황과는 거리가 멀다.

15. 남아공의 '아파르트헤이트'는 백인정부에 의해서 자행된 대표적인 흑인을 차별하는 정책이었다.

16. 소득격차가 커지게 되면 상대적 박탈감이 점차 커져 사회불안의 원인이 될 수 있다.

17. 유동성은 현금화 가능성을 말하는 것으로 예금 〉 주식과 채권 〉 부동산의 순서로 높다.

18. 사회적 약자들에게 행해지는 적극적 우대조치는 불평등함을 완벽하게 해소하지는 못한다.

19. 사례는 업무 결과에 따라서만 급여를 주기로 했으므로 업적에 따른 분배로 볼 수 있다.

20. 아프리카 문화권은 여전히 부족단위의 공동체 생활을 하고 있고 토속종교도 믿는 곳이 많다.

21. 문제에서 제시한 문화변동 양상은 두 개의 문화가

결합해 새로운 문화가 만들어지는 문화융합의 사례를 물어보고 있다.

22. 여러 개의 문화가 함께 공존하는 것은 문화병존, 또는 문화공존이라고 한다.

23. 피라미드형 인구구조는 개발도상국에서 주로 나타나는 인구구조로 대체로 노년층은 낮은 편이다.

24. 2000년대에는 가족계획사업을 포기한 것이 아니라 덜 낳는 것에서 더 낳는 쪽으로 방향을 전환한 것으로 봐야 한다.

25. 문제에서 제시한 자원은 석탄이다.

02. 실전모의고사

1. ①	2. ②	3. ③	4. ①	5. ①
6. ③	7. ④	8. ③	9. ②	10. ②
11. ①	12. ②	13. ④	14. ②	15. ①
16. ④	17. ③	18. ①	19. ④	20. ②
21. ①	22. ②	23. ④	24. ②	25. ②

1. ㉠은 위치 정보가 공간적 관점을 의미하고 ㉡은 법제도를 얘기하기 때문에 사회적 관점에 해당한다. ㉢은 윤리적 관점, ㉣은 문화의 역사적 변화를 물어보고 있기 때문에 시간적 관점에 해당한다.

2. 일자리의 확보와 최저임금 보장은 행복의 조건 중에 경제적 안정에 해당한다.

4. 사진 속 주택들은 건조지역에서 볼 수 있는 가옥들로 건조기후는 증발량이 강수량보다 많은 편이다. 더위로 얇고 간편한 옷차림과 스콜로 인한 급경사 지붕은 열대기후에서 볼 수 있고 침엽수 지대인 타이가는 냉대기후에서 주로 볼 수 있는 현상이다.

5. 〈보기〉의 재해는 지진을 의미한다. 다목적 댐과 빗물저장소 건설, 지하수 개발은 주로 홍수와 가뭄에 대비한 대책이다.

7. 자연을 존중하고 인간과 자연의 상호보완적인 관계를 중시하는 관점은 생태 중심주의이다. 생태 중심주의는 자연과 인간이 하나라고 보기 때문에 일원론적인 관점을 가지고 있다.

9. 도시화로 인해 전통사회에서 볼 수 있었던 공동체주의는 약화되고 개인주의가 강화되고 있다.

10. 해결 방법 중 도시 재개발과 공영주차장 확대, 사회복지제도 확충은 모두 사회적 해결 방법이고 타인 존중은 개인적 해결 방법이다.

11. 정보화로 인해 빈부격차는 계층 간, 직업 간, 국가 간 점차 커지는 경향이다.

12. 보편성은 누구나 인권을 가지고 있다는 뜻이고 불가침성은 절대 뺏기거나 빼앗아서는 안된다는 뜻이다. 영구성은 인권이 영원함을 의미한다.

13. 자유권은 현대가 아닌 근대에 본격적으로 보장되기 시작했다.

15. 처벌을 받아들이면서 불복종을 하겠다는 것이기 때문에 처벌감수에 해당한다.

16. 필요에 의한 소비라기보다는 유행에 따른 소비로 보이기 때문에 동조소비에 해당한다. 동조소비는 밴드웨건 효과라고 한다.

17. 시장은 한계가 존재한다. 대체로 자원이 비효율적으로 배분되면서 나타나게 되고 공공재가 부족해진다거나 독과점 등이 나타나면서 시장실패 현상들이 나타난다.

18. 국제무역이 확대되면 인건비가 저렴한 개발도상국으로 생산지가 이동하게 되고 생산비를 낮출 수 있게 된다.

19. 모든 사람들에게 동일하게 나눠준다는 점이 절대적 평등에 의한 분배를 의미한다. 업적에 따른 분배는 일의 결과물에 따른 분배를 말하고 능력에 의한 분배는 능력이 있는 사람에게 더 많은 분배를 하는 것을 말한다. 필요에 의한 분배는 인간다운 삶을 위해 최소한의 것을 필요한 사람에게 분배하는 것을 말한다.

22. 문화병존과 문화공존은 같은 개념으로 기존의 문화와 새로운 문화가 함께 존재하는 것을 말한다. 문화융합은 기존 문화와 새로운 문화가 합쳐서 새로운 문화가 만들어지는 것을 말한다. 문화동화는 기존 문화가 새로운 문화에 의해 흡수되는 현상을 말한다.

23. 〈보기〉의 사례는 극단적 문화 상대주의의 대표적인 사례이다. 그러나 문제에서 이런 극단적 문화 상대주의에서 필요한 올바른 문화 인식 태도를 물어보았기 때문에 정답은 문화 상대주의이다.

24. 국수대접 이론은 주류문화와 비주류문화를 구분은 하지만 모두 조화를 이루어야 한다는 것을 말한다. 모자이크 이론과 샐러드 볼 이론은 같은 개념으로 주류와 비주류문화를 구분하지 않고 조화를 이루는 것이 중요하다는 이론이다.

25. 세계화로 지역문화의 고유성이 약화되고 있다.

사회

인쇄일	2024년 6월 4일
발행일	2024년 6월 11일
펴낸이	(주)매경아이씨
펴낸곳	도서출판 **국자감**
지은이	편집부
주소	서울시 영등포구 문래2가 32번지
전화	1544-4696
등록번호	2008.03.25 제 300-2008-28호
ISBN	979-11-5518-125-6 13370

한양 시그니처 관리형 시스템

#정서케어 #학습케어 #생활케어

관리형 입시학원의 탄생

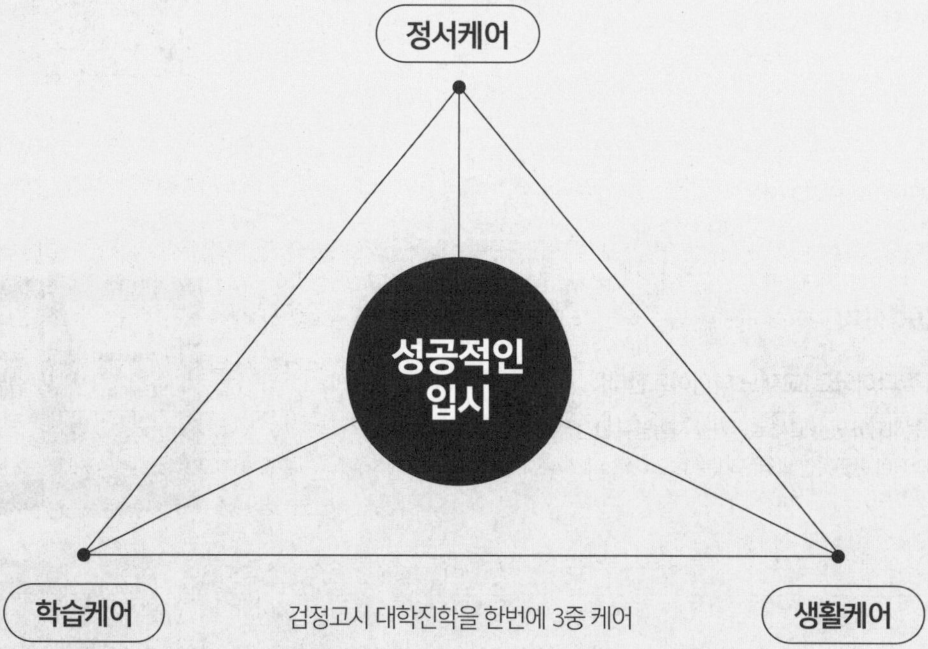

정서케어

· 3대1 멘토링
(입시담임, 학습담임, 상담교사)
· MBTI (성격유형검사)
· 심리안정 프로그램
(아이스브레이크, 마인드 코칭)
· 대학탐방을 통한 동기부여

학습케어

· 1:1 입시상담
· 수준별 수업제공
· 전략과목 및 취약과목 분석
· 성적 분석 리포트 제공
· 학습플래너 관리
· 정기 모의고사 진행
· 기출문제 & 해설강의

생활케어

· 출결점검 및 조퇴, 결석 체크
· 자습공간 제공
· 쉬는 시간 및 자습실
분위기 관리
· 학원 생활 관련 불편사항
해소 및 학습 관련 고민 상담

HANYANG ACADEMY

한양 프로그램 한눈에 보기

· 검정고시반 중·고졸 검정고시 수업으로 한번에 합격!

기초개념	기본이론	핵심정리	핵심요약	파이널
개념 익히기	과목별 기본서로 기본 다지기	핵심 총정리로 출제 유형 분석 경향 파악	요약정리 중요내용 체크	실전 모의고사 예상문제 기출문제 완성

· 고득점관리반 검정고시 합격은 기본 고득점은 필수!

기초개념	기본이론	심화이론	핵심정리	핵심요약	파이널
전범위 개념익히기	과목별 기본서로 기본 다지기	만점 전략서로 만점대비	핵심 총정리로 출제 유형 분석 경향 파악	요약정리 중요내용 체크 오류범위 보완	실전 모의고사 예상문제 기출문제 완성

· 대학진학반 고졸과 대학입시를 한번에!

기초학습	기본학습	심화학습/검정고시 대비	핵심요약	문제풀이, 총정리
기초학습과정 습득 학생별 인강 부교재 설정	진단평가 및 개별학습 피드백 수업방향 및 난이도 조절 상담	모의평가 결과 진단 및 상담 4월 검정고시 대비 집중수업	자기주도 과정 및 부교재 재설정 4월 검정고시 성적에 따른 재시험 및 수시컨설팅 준비	전형별 입시진행 연계교재 완성도 평가

· 수능집중반 정시준비도 전략적으로 준비한다!

기초학습	기본학습	심화학습	핵심요약	문제풀이, 총정리
기초학습과정 습득 학생별 인강 부교재 설정	진단평가 및 개별학습 피드백 수업방향 및 난이도 조절 상담	모의고사 결과진단 및 상담 / EBS 연계 교재 설정 / 학생별 학습성취 사항 평가	자기주도 과정 및 부교재 재설정 학생별 개별지도 방향 점검	전형별 입시진행 연계교재 완성도 평가

D-DAY를 위한 신의 한수
검정고시생 대학진학 입시 전문
검정고시 합격은 기본!
대학진학은 필수!
입시 전문가의 컨설팅으로 성적을 뛰어넘는 결과를 만나보세요!
HANYANG ACADEMY
YouTube
HANYANG
ACADEMY